Jens Kilgenstein

CSS einfach erklärt -
Eine Einführung ins Webdesign anhand konkreter Beispiele

http://www.css-einfach.de

Presse- und Marketinganfragen senden Sie bitte per Kontaktformular welches unter folgender Internetseite erreichbar ist:
http://css-einfach.de/kontakt

Die Schreibweise entspricht den Regeln der neuen Rechtschreibung.

Lektorat: Wolfgang Stiebling
Korrektorat: Ute Wendt
Herstellung: Books on Demand GmbH, Norderstedt
Satz und Umschlaggestaltung: Kretschmann Mediamarketing

Zur Herstellung wird nur säure-, holz- und chlorfreies Papier verwendet. Alterungsbeständig nach
DIN-ISO 9706.

Printed in Germany.

ISBN-10: 3-9809567-6-8
ISBN-13: 978-3-9809567-6-5

Inhaltsverzeichnis

Vorwort 7

Kapitel 1: Der Aufbau einer CSS-basierten Website 8
    Die HTML-Datei 8
    Die CSS-Datei 9
    Fazit 10

Kapitel 2: HTML - Inhalte strukturieren 11
    Das HTML-Grundgerüst 11
        1. Der Tag <title> 13
        2. Der Tag <body> 13
    Grundeinteilung des Dokuments: *div* 14
    Überschriften 18
    Absätze und Zeilenumbrüche 19
    Text hervorheben / betonen 19
    Listen 20
    Hyperlinks und Anker 23
        Hyperlinks im Detail 23
        Exkurs: Attribute 24
        Anker 24
    Navigationselemente 25
    Das Einbinden von Grafiken 26
    Tabellen 28
    Sonderzeichen 31
    HTML-Check / Validierung 31
    Vervollständigung der HTML-Ebene unserer Beispielseite 32

Kapitel 3: CSS - Inhalte gestalten 35
    Der allgemeine Aufbau einer CSS-Regel 35
    Selektoren 36
        ID-Selektor 37
        Klassen-Selektor 37
        Universal-Selektor 38
        Pseudo-Klassen-Selektor 38
        Selektor-Gruppierung 38
    CSS in ein HTML-Dokument einbinden 39
    Kommentare im CSS-Quelltext 40

Kapitel 4: Den Inhalt der Kästen (Farben und Schriften) gestalten. 41
  Farben ins Spiel bringen 41
    Vordergrund- und Hintergrundfarbe definieren 41
    Farbangaben bestimmen 42
      Englischer Farbname 43
      RGB-Werte 44
  Schriftformatierungen. 44
    Die Eigenschaft *font-family* 45
    Die Eigenschaft *font-size* 47
    Die Eigenschaft *line-height* 48

Kapitel 5: Die Abstände der Kästen und deren Rahmenlinien gestalten. 51
  Das Box-Modell. 51
    Inhalt (*content*). 52
    Innenabstand (*padding*) 53
    Rahmen (*border*) 54
    Außenabstand (*margin*) 55
  Die Abmessungen einer Box berechnen 56
  Collapsing Margins 57
  Die browserspezifisch vordefinierten Abstände aller Elemente auf null setzen . 58
  Dem Bereich #*wrapper* eine feste Breite zuweisen. 60
  Dem Bereich #*wrapper* zentrieren. 60
  Abstände für Listen definieren. 61
  Innenabstände definieren 62
  Einen Rahmen hinzufügen 64
  Ausrichtung von Text: *text-align*. 65
  Schriftgröße und Zeichenabstand (*letter-spacing*) der Überschriften anpassen . 66
  Hintergrundbilder und Farbverläufe 66
  Gestaltung von Hyperlinks. 70
  Navigationsmenüs 71
    Vertikale Navigationsmenüs. 71
    Horizontale Navigationsmenüs 74
    Horizontales Menü mit Karteireitern 76
    Den aktuellen Navigationspunkt hervorheben 78

Kapitel 6: Positionierung der Kästen 81
  Die Eigenschaft **position**. 81
    Der ganz normale Fluss der Elemente (*position: static*). 82
    Der verschobene Fluss (*position: relative*) 84
    Der herausgelöste Fluss (*position: absolute*). 86
    Der herausgelöste, feststehende Fluss (*position: fixed*) 89

Die Eigenschaften *float* und *clear* 89
    Fließende Positionierung von Elementen: die Eigenschaft *float* 90
    Das Umfließen beenden: die Eigenschaft *clear* 93
Stylesheet für ein Druck-Layout 94
    Schritt 1: Ausblenden unnötiger Inhalte 95
    Schritt 2: Schriftformatierungen 95
    Schritt 3: Links mit URL anzeigen 96
    Schritt 4: Feintuning 97
Tabellen gestalten 99

Kapitel 7: Mehrspaltige Layouts **105**
Mehrspaltige Layouts mit position: *absolute* und *margin* 107
Mehrspaltige Layouts mit der Eigenschaft *float* 115
Gleich hohe Spalten simulieren: Faux Columns mit Hintergrundgrafik 117
Floats links- und rechtsseitig ausrichten 118
Faux Columns ohne Hintergrundgrafik 121
CSS-Check / Validierung 124

Kapitel 8: Kaskade, Vererbung und Standardwerte **125**
Der Job des Browsers: parsen und interpretieren 125
Regel 1: Kaskadierung 126
    1. Browser-Stylesheets 126
    2. Benutzer-Stylesheets 127
    3. Autoren-Stylesheets 127
    Welche der drei Quellen hat Vorfahrt? 127
    Die !important-Regel (Gewichtung) 128
    Spezifität 128
    Sortierung nach der Reihenfolge bei gleicher Spezifität 130
    Zusammenfassung zur Kaskadierung (Regel 1) 130
Regel 2: Vererbung 131
    Sinn der Vererbung 131
    Was vererbt wird und warum 132
Regel 3: Standardwerte 132
Nachwort: Muss man das alles sofort verstehen? 133

Kapitel 9: Wie teste ich meinen Quellcode? **134**
Auf dem eigenen Rechner diverse Betriebssysteme und Browserversionen
installieren 135
Entsprechende Webdienste nutzen (Cross-Browser-Check) 135
Betriebssysteme über virtuelle Maschinen emulieren und dort die
entsprechenden Browser installieren 135

Welche Browser und Betriebssysteme sollte ich überhaupt testen? 136
Vorgehensweise bei browserspezifischen Problemen 137

Kapitel 10: Software für Webentwickler **139**
Notwendige Software: der CSS-Editor 139
Sinnvolle Software für Webentwickler 139
Firebug 140
HTML/CSS identifizieren 140
Analyse: Kaskade, Vererbung und Standardwerte nachvollziehen . . . 141
CSS/HTML Live editieren. 143
Web Developer Toolbar 144
View Source Chart: die rechteckigen Kästen einer Seite sichtbar machen . 144

Stichwortverzeichnis **146**

Vorwort

Detailwissen ist beim Erlernen von CSS zweitrangig. Deswegen sind anfangs weder dicke Bücher hilfreich, die alle erdenklichen Befehle durchkauen, noch Internetseiten, die Lösungen für Spezialprobleme bieten. Notwendig ist es vielmehr, die grundsätzlichen Prinzipien, auf denen CSS beruht, zu verstehen. Wer z. B. den Aufbau mehrspaltiger Layouts beherrschen will, muss zunächst die Grundlagen der Positionierung verstanden haben. Ebenso wird man vor scheinbar unlösbaren Problemen stehen, wenn man nicht versteht, wie der Browser einen Quelltext einliest und interpretiert. Ziel dieses Buches ist es, genau dieses zwingend notwendige Basiswissen leicht verständlich zu vermitteln. Hierzu erstellen wir eine konkrete Webseite und fangen buchstäblich bei null an. Wir durchlaufen genau die Schritte, die jeder Webentwickler auch abarbeiten muss. Theoretische Grundlagen werden nur so weit erläutert, wie es die Praxis verlangt. Die einzelnen Schritte sind bewusst einfach gehalten und werden stets mit Beispielen flankiert. Am Ende des Buches werden Sie in über fünfzig Etappen Ihre Webseite komplettiert haben. Durch diese Art des Lernens am konkreten Beispiel werden Sie nicht nur die Fähigkeit erlangen, eigenen Quellcode von Grund auf selbst zu entwickeln. Sie werden auch fremde Codes verstehen und verändern können, was Sie in die Lage versetzt, beispielsweise das Design einer Blog-Software anzupassen.

Auf der Webseite zum Buch können Sie sich auch die einzelnen Codebeispiele herunterladen. Dort finden Sie auch vertiefende Hinweise, Neuigkeiten und weiterführende Links. Die Adresse lautet:

▶ http://www.css-einfach.de/leserbereich

Viel Spaß beim Scripten!

Kapitel 1:
Der Aufbau einer CSS-basierten Website

Grundsätzlich besteht jede moderne Webseite aus zwei Komponenten, nämlich

- erstens einer HTML-Datei und
- zweitens einer CSS-Datei.

Um das Zusammenspiel zwischen HTML-Datei und CSS-Datei verstehen zu können, muss man zunächst wissen, welche Aufgabe den beiden Dateien jeweils zugedacht ist.

Die HTML-Datei

Mit HTML werden Inhalte angelegt und strukturiert. Die Inhalte bestehen prinzipiell aus Textinformationen. Gemeint sind also hiermit die Informationen, die Sie als User auf Ihrem Bildschirm lesen (Buchstaben, Wörter, Sätze), wenn Sie eine beliebige Seite im World Wide Web aufrufen. Anhand dieser reinen Textinformationen kann der Browser, der Ihnen den Text anzeigt, nicht wissen, was in diesem Text z. B. eine Überschrift oder ein Absatz ist. Deswegen wird jeder Textabschnitt zusätzlich von einem HTML-Element umgeben, das seine strukturelle Bedeutung **beschreibt**. Anders ausgedrückt: Man schreibt an die Bestandteile eines Textes dran, was für Bestandteile sie eigentlich sind. Die den Text umgebenden HTML-Elemente haben also die Aufgabe, die logischen Elemente eines Textdokuments wie Überschriften, Absätze, Listen, Tabellen und Formulare zu definieren (**auszuzeichnen**). Entsprechend stellt Ihr Browser z. B. den als Überschrift ausgezeichneten Text größer und fett dar.

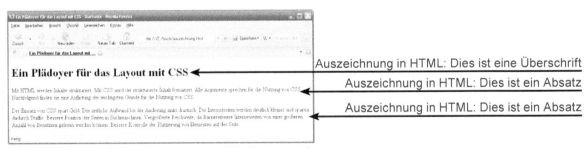

Abb. 1: Umsetzung des Browsers der HTML-Auszeichnung

Dieser Umstand verdeutlicht, dass es sich bei HTML um keine Programmiersprache handelt. Es werden keine Programmanweisungen an die auswertende Software gegeben, es wird nur gesagt: „Hierbei handelt es sich um einen Absatz!" Deshalb bezeichnet man HTML als Auszeichnungssprache oder Markup-Language.

Auch die Möglichkeit, innerhalb des HTML-Dokumentes Grafiken und multimediale Inhalte in Form einer Referenz einzubinden und in den Text zu integrieren, ändert an dieser Tatsache nichts. Schlichtweg falsch ist somit die häufig zu hörende Aussage, „HTML ist die Sprache, mit der man Webdesign macht." Wenn HTML eine Strukturbeschreibungssprache ist, eine Sprache also, die Information strukturiert, dann hat das zwar viel mit gegliederter Information zu tun, aber rein gar nichts mit Layout. Dafür gibt es eine weitere, ergänzende Technik: CSS.

Die CSS-Datei

Mit Cascading Style Sheets wird der strukturierte Inhalt formatiert. Anders ausgedrückt werden die im HTML-Dokument erstellten Elemente **gestaltet und positioniert**. CSS kann man z. B. zum Festlegen von Schriftarten, Farben, Rändern, Linien, Höhen, Breiten, Hintergrundbildern, zur Positionierung und vieler anderer Sachen benutzen.

Der Einsatz von CSS offenbart zwei grundsätzliche Vorteile. Zum einen bietet CSS nicht nur einfach die gleichen Gestaltungsmöglichkeiten wie HTML-Auszeichnungen, sondern in vielen Bereichen weitaus größere Flexibilität und Eingriffsmöglichkeiten. So kann zum Beispiel die Zeilenhöhe oder feste Abstände vor, neben und nach einem Absatz definiert werden. Solche im Printbereich selbstverständlichen Gestaltungsmöglichkeiten sind mit reinem HTML unmöglich.

Der zweite große Vorteil von CSS wird dann offensichtlich, wenn an einem bestehenden Webprojekt Änderungen am Design vorgenommen werden müssen. Wer nur mit HTML arbeitet, muss die Änderungen in jeder HTML-Datei des Webprojektes einzeln durchführen. Beim Einsatz von CSS hingegen bestimmt **eine zentrale Datei das gesamte Design**. Dadurch, dass alle Styling- und Layout-Eigenschaften komplett in einer einzigen CSS-Datei liegen, werden Design-Änderungen im Handumdrehen möglich. Man muss nur noch in der zentralen CSS-Datei den betreffenden Wert ändern, und schon sind auf dem kompletten Webprojekt inklusive aller Unterseiten z. B. die Überschriften in einer anderen Schriftart umformatiert.

Fazit

Somit können wir folgende Erkenntnis festhalten: Mit HTML werden Inhalte strukturiert. Mit CSS wird der strukturierte Inhalt formatiert. Dieses Grundprinzip wird uns bei allen weiteren Überlegungen begleiten. Die Feinheiten von HTML und CSS werden nachfolgend besprochen.

Kapitel 2:
HTML - Inhalte strukturieren

Wir benötigen also mindestens eine HTML-Datei für den Inhalt und eine CSS-Datei für das Layout. Sinnvollerweise beginnt man stets mit der HTML-Datei, da man nur Inhalte Formatieren kann die man zuvor erstellt hat.

Das HTML-Grundgerüst

Ran an die Praxis! Wir beginnen nun direkt mit der Erstellung von unserem Webprojekt, also mit unserer ersten HTML-Seite. Hierzu erstellen wir zunächst ein sogenanntes HTML-Grundgerüst. Das Grundgerüst besteht aus einigen unverzichtbaren Tags, die in jedem HTML-Dokument zwingend vorhanden sein müssen. **Tags sind HTML-Befehle**, die in spitzen Klammern stehen und dem Browser eine Anweisung geben, wie er ein Dokument zu interpretieren hat. Der Tag wird stets kleingeschrieben. Ein HTML-Tag sieht demnach vom Aufbau folgendermaßen aus:

```
<befehl>
```

Ein Tag wird immer auf diese Weise geöffnet. Benötigen Sie den Befehl nicht mehr, **muss** er grundsätzlich geschlossen werden. Dies geschieht, indem nach dem Öffnen der spitzen Klammer ein Schrägstrich und dann der Befehl, der beendet werden soll, eingegeben wird:

```
</befehl>
```

Nachfolgend wird nicht nur von Tags, sondern auch von **Elementen** die Rede sein. Gemeint ist damit eine Befehlszeile, die aus dem Anfangs-Tag, dem Inhalt und einem Ende-Tag besteht:

```
<h1>Dies ist eine Überschrift</h1>
```

Erklärung: Das einleitende Tag *<h1>* bedeutet, dass eine Überschrift erster Ordnung folgt (h ist die Abkürzung für das englische Wort heading, zu Deutsch also Überschrift). Das abschließende Tag *</h1>* signalisiert das Ende der Überschrift. Zur Verdeutlichung der Begrifflichkeiten betrachten Sie bitte die nachfolgende Grafik:

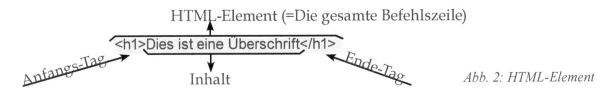

Abb. 2: HTML-Element

Von diesem Prinzip gibt es nur eine Ausnahme: HTML beinhaltet die Möglichkeit, an beliebigen Stellen innerhalb einer HTML-Datei **Kommentare** einzufügen. Kommentare sind Quelltextabschnitte, die vom auslesenden Programm (Browser) **nicht interpretiert** werden, es ignoriert diese Abschnitte schlichtweg. Kommentare helfen Ihnen, Ihr Dokument übersichtlicher zu gestalten. So können Sie Kommentare nutzen, um Ihren Gedankengang festzuhalten, warum Sie diesen oder jenen Tag gerade so und nicht anders eingesetzt haben. Insbesondere wenn Sie Ihr Dokument nach einigen Monaten noch einmal überarbeiten, können solche Kommentierungen Gold wert sein. Auch zum Testen und zur Fehlersuche ist es sehr praktisch, bestimmte Codeabschnitte nicht ganz zu löschen, sondern sie nur kurzzeitig „auszukommentieren". Wenn der Code wieder „aktiv" werden soll, müssen nur die Kommentarzeichen entfernt werden. Auch im Rahmen dieses Buches werden alle Code-Beispiele, wo immer es sinnvoll ist, solche Kommentierungen beinhalten. Merken Sie sich also die Syntax einer Kommentierung:

```
<!-- dies ist ein Kommentar -->
<!-- und das hier ist ein Kommentar,
     der länger als eine Zeile ist -->
```

To-Do 1: Ein HTML-Grundgerüst erstellen
1. Öffnen Sie eine leere Datei in einem Editor (Notepad oder ein HTML-Editor Ihrer Wahl).
2. Erstellen Sie ein HTML-Grundgerüst. Jeder HTML-Editor beinhaltet eine Funktion zum Einfügen eines solchen Grundgerüstes. Arbeiten Sie mit Notepad, müssen Sie den nachfolgenden Quelltext abtippen oder unsere Beispielsdatei „to-do1.html" öffnen. Wenn Sie das Dokument selbst angelegt haben, speichern Sie es unter dem Namen „to-do1.html".

```
<!DOCTYPE html PUBLIC "-//W3C//DTD XHTML 1.0 Transitional//EN"
"http://www.w3.org/TR/xhtml1/DTD/xhtml1-transitional.dtd">
<html xmlns="http://www.w3.org/1999/xhtml" xml:lang="de" lang="de">
<head>
  <meta http-equiv="Content-Type" content="text/html; charset=iso-8859-1" />
  <title>Meine erste Überschrift</title>
</head>
<body>
<!-- im Browser sichtbarer Teil -->
</body>
</html>
```

Das Grundgerüst wirkt zunächst einmal ziemlich verwirrend. Wichtig für den Anfang sind zunächst nur die beiden im Quelltext hervorgehobenen Elemente *<title>* und *<body>*:

1. Der Tag *<title>*
Hier können Sie den Titel oder den Namen Ihres Dokuments eintragen. Er erfüllt verschiedene Zwecke. Zum einen wird er in der Titelleiste des Browsers und in den Ausklapplisten des Vor- und Zurück-Buttons auftauchen. Speichert jemand die Seite als Lesezeichen (Bookmark) in seinem Browser, wird dieser Titel als Name vorgeschlagen. Ferner erscheint der gewählte Name in den Ergebnislisten der Suchmaschinen als optisch hervorgehobener Link. Bei der Auswahl des Titels sollten Sie also auf einen möglichst hohen Informationsgehalt achten. Beschreiben Sie also kurz und prägnant, worum es in dem jeweiligen HTML-Dokument geht.

2. Der Tag *<body>*
Alles was zwischen den Tags *<body> </body>* steht, wird später im Browserfenster dargestellt. In diesen Bereich gehören somit alle Informationen, die der Betrachter Ihrer Webseite später sehen soll, wie z. B. Texte und Bilder. Im obigen Beispiel ist dort ein Kommentar platziert, den der Browser nicht interpretiert.

Für den Schnelleinstieg müssen Sie also nur wissen, was die Elemente *<title>* und *<body>* bedeuten, den Rest übernehmen Sie einfach.

Vielleicht ist Ihnen im Grundgerüst der Terminus „XHTML 1.0" aufgefallen. Bisher war aber immer nur von HTML die Rede. Stark vereinfacht ausgedrückt ist XHTML eine neuere Version als die letzte HTML-Version. XHTML enthält dabei alle Elemente von HTML, sodass HTML-konforme Seiten problemlos von XHTML 1.0 interpretiert

13

werden. Die Vorteile, die XHTML unbestreitbar bietet, brauchen Sie für den Einstieg nicht weiter zu interessieren. Wenn Ihnen irgendwo der Begriff XHTML begegnet, können sie ihn getrost als Synonym für HTML verstehen.

▶ Für tiefer gehende Informationen folgen Sie bitte den Links im Leserbereich.

Abschließend noch ein Hinweis zu der Benennung der HTML-Dateien. Prinzipiell ist es egal, ob eine Datei unter dem Namen so.html oder soundso.html abgespeichert wird, wobei ein den Inhalt der Datei beschreibender Name natürlich am sinnvollsten ist, wie z. B. lebenslauf.html. Es gibt aber eine Ausnahme, die dann relevant wird, wenn Sie Ihre Webseite tatsächlich im Internet veröffentlichen. Ihre Startseite (Einstiegssei-te) sollte immer unter dem Namen index.html angelegt werden. Auf einem Webserver wird die Datei index.html auch dann aufgerufen, wenn man nur den eigentlichen Domainnamen eintippt. Wenn Sie also www.meinehomepage.de eintippen, wird im Hintergrund www.meinehomepage.de/index.html automatisch geladen.

Wenn Sie das Grundgerüst (also die Datei „to-do1.html") in Ihrem Browser aufrufen, sehen sie bisher lediglich eine leere Seite. Das verwundert nicht, da bisher der Bereich *body* – abgesehen von dem im Browser nicht sichtbaren Kommentar - komplett leer ist. Bevor wir in diesem Bereich die Textinformationen anlegen, schauen wir uns zunächst die wichtigsten HTML-Tags zur Formatierung an.

Grundeinteilung des Dokuments: *div*
Als ersten Schritt beim Erstellen einer neuen HTML-Seite ist es sinnvoll, die grundsätzliche Einteilung der Struktur im HTML-Dokument zu definieren. Wenn man sich beliebige Seiten im World Wide Web anschaut, wird man schnell feststellen, dass die allermeisten Seiten eine identische Struktur aufweisen. Sie bestehen zumeist aus folgenden Bereichen:

- **Kopfzeile:** meistens das Logo und / oder der Slogan der Webseite.
- **Navigation:** Die Navigationselemente sind meistens waagerecht nebeneinander oder senkrecht untereinander angeordnet.
- **Textbereich:** der Hauptinhalt.
- **Fußzeile:** z. B. Copyright-Vermerk, Impressum, Hinweise zum Datenschutz.

Ein einfaches, einspaltiges Layout mit diesen vier Bereichen könnte z. B. so aussehen:

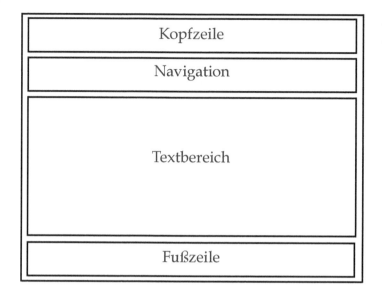

Abb. 3: Einspaltiges Layout mit vier Bereichseinteilungen

Häufig anzutreffen sind auch komplexere, mehrspaltige Layouts. Im nachfolgenden Beispiel wurde zusätzlich ein Bereich für Nebeninhalte angelegt (als „Textbereich 2" gekennzeichnet) und die Navigation auf der linken Seite senkrecht angeordnet:

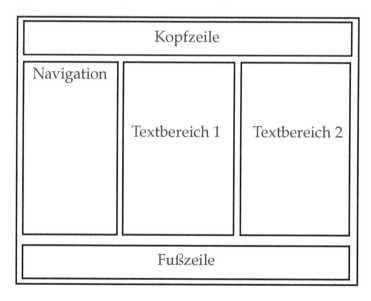

Abb. 4: Mehrspaltiges Layout mit fünf Bereichseinteilungen

Die zwei soeben aufgezeigten Strukturierungen sind bei den allermeisten Seiten anzutreffen. Sie sind aber keinesfalls zwingend, sondern können nach den individuellen Bedürfnissen beliebig hinzugefügt oder weggelassen werden. Wichtig ist, dass man sich selber vergegenwärtigt, dass solche **Bereichseinteilungen in Form rechteckiger**

Kästen realisiert werden. Runde Strukturen kennt HTML folglich nicht. Anstelle des Wortes Kasten wird häufig auch die Bezeichnung Container, Box, Bereich oder Kiste verwendet, gemeint ist aber in diesem Zusammenhang immer dasselbe.

Ergänzt wird die Strukturierung häufig durch einen weiteren Bereich, der inhaltlich keine Bedeutung hat, allerdings beim späteren Designen mit CSS wichtig wird. Er wird oft als „Wrapper" bezeichnet, was auf Deutsch so viel wie „Schutzhülle" heißt. Ähnlich wie ein Schutzumschlag bei einem gebundenen Buch umschließt der Wrapper die anderen Bereiche und ist wichtig, um die komplette Seite zentrieren zu können. In ihn werden jegliche andere HTML-Objekte geschrieben, die beim Bau der Seite eine Rolle spielen.

Doch mit welchen Tags wird die Einteilung in Bereiche konkret realisiert? Nun, mit dem sogenannten *div*-Tag wird eine HTML-Seite strukturiert. Mit **<div>** leiten Sie einen Bereich ein, in den Sie mehrere Elemente einschließen können (div = division = Bereich). Alles, was zwischen dem öffnenden **<div>** und dem abschließenden **</div>** steht, wird als Teil des Bereichs interpretiert. Sie können so also mehrere Absätze, bestehend aus ganz verschiedenen Elementen wie Text, Grafiken, Tabellen usw., in einen gemeinsamen Bereich einschließen und dann gemeinsam ausrichten. Um im HTML-Quelltext die einzelnen Bereiche voneinander unterscheiden zu können, erhalten Sie mithilfe des Attributs *id* eine eindeutige Namenszuordnung, die zwischen die beiden Anführungszeichen geschrieben werden. Die Namen können Sie frei wählen, d. h. ob Sie den Namen „kopfzeile" oder „obere Zeile" wählen, ist vollkommen egal. Bei dem oben genannten Beispiel mit den vier strukturellen Unterteilungen plus Schutzumschlag würden wir den Quelltext folgendermaßen ergänzen:

```
<div id="wrapper">
   <div id="kopfzeile"> </div>
   <div id="navigation"> </div>
   <div id="textbereich"> </div>
   <div id="fusszeile"> </div>
</div>
```

Wenn wir jetzt diese insgesamt fünf Bereichseinteilungen auf die Abbildung 3 anwenden, ergibt sich folgende Struktur:

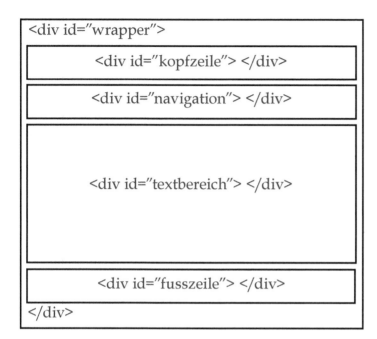

Abb. 5: Fünf Bereichseinteilungen im Quelltext

To-Do 2: Die HTML-Datei mit Hilfe des div-Tags in Bereiche einteilen
1. Öffnen Sie Datei „to-do1.html".
2. Ergänzen sie den Quelltext im body-Bereich mit den div-Tags für die Bereiche "wrapper", "kopfzeile", "navigation", "textbereich" und "fusszeile".
3. Speichern sie die Datei unter dem Namen to-do2.html.

---

div-Elemente werden als **Blockelemente** bezeichnet, da das öffnende und das schließende **<*div*>**-Tag **zu einem Zeilenumbruch führen**. Ansonsten haben *div*-Elemente keine weiteren Eigenschaften. In erster Linie dienen die mithilfe der **<*div*>**-Tags strukturierten Bereiche als Schnittstelle zum späteren Layout innerhalb der CSS-Datei. Deshalb hatten unsere soeben gemachten Erweiterungen im Quelltext keinerlei Auswirkungen auf die Darstellung, was Sie selbst nachvollziehen können, wenn sie die Datei to-do2.html in Ihrem Browser öffnen.

Äquivalent zum **<*div*>**-Tag gibt es das **<*span*>**-Tag, das benutzt wird, wenn einer Gruppe von HTML-Elementen **Inlinestile** – d. h. Stile **ohne Zeilenumbruch** – zugewiesen werden sollen. Beispiele für die konkrete Anwendung finden Sie auf Seite 84 (Abbildung 28) und im To-Do 31.

Halten wir also fest: **<*div*>** und **<*span*>** sind bedeutungsleere, rechteckige Container, die zur Kennzeichnung von Block- oder Textabschnitten genutzt werden. Blockelemente erzeugen immer eine neue Zeile und sind untereinander angeordnet, Inline-Elemente erzeugen hingegen keine neue Zeile und sind nebeneinander angeordnet. Block-Elemente können weitere Block- oder Inline-Elemente beinhalten. Inline-Elemente dürfen nur weitere Inline-Elemente beinhalten.

Block-Elemente	Inline-Elemente
• erzeugen immer eine neue Zeile • sind untereinander angeordnet • können weitere Block- oder Inline-Elemente beinhalten	• erzeugen keine neue Zeile • sind nebeneinander angeordnet • dürfen nur weitere Inline-Elemente beinhalten

Überschriften

Der Tag *<h?>* erzeugt die Überschriften in einem Dokument. An die Stelle des Platzhalters "?" kommt dann eine Zahl zwischen eins und sechs, welche die Ebene der Überschrift angeben soll. Benutzen Sie diese Elemente innerhalb einer Website ausschließlich in einer hierarchischen Reihenfolge und ohne eine Stufe zu überspringen. Das heißt, die oberste Überschrift ist mit *h1*, Unterkapitel mit *h2*, deren Unterkapitel mit *h3* usw. zu bezeichnen (h1 - h2 - h3 - h4 - h5 - h6). Hier ein Beispiel für eine Überschrift erster Ebene:

```
<h1>Überschrift 1</h1>
```

Die *h?*-Elemente sind Blockelemente, d. h., jedes *h?*-Tag erzeugt automatisch einen Zeilenumbruch und Absatzwechsel. <u>Achtung:</u> Wir befinden uns hier im HTML-Dokument auf der Strukturierungs- und **nicht** auf der Layoutebene, d. h. Sie legen im Moment nur fest, dass der Text eine Überschrift ist und auf welcher Gliederungsebene er sich befindet. Beginnen Sie deshalb niemals mit **<h2>** als erste Ebene, weil Ihnen **<h1>** im Browser zu groß erscheint. Das Layout der Überschriften, also z. B. die Festlegung der Schriftgröße, machen wir **später innerhalb der CSS-Datei**!

To-Do 3: Überschriftsebenen anlegen
1. Öffnen Sie Datei „to-do2.html".
2. Ergänzen Sie den Quelltext im Bereich *<div id="textbereich"> </div>* wie folgt:

```
<div id="textbereich">
<h1>Ein Plädoyer für das Layout mit CSS</h1>
<h2>Alle Argumente sprechen für die Nutzung von CSS</h2>
</div>
```

3. Speichern Sie die Datei unter dem Namen to-do3.html.

Absätze und Zeilenumbrüche

Die Ausgabe von einfachem Text können Sie mithilfe von Absätzen und Zeilenumbrüchen kontrollieren:

Der Tag *<p></p>* (= paragraph) erzeugt einen neuen Absatz **und** schaltet eine Leerzeile zwischen den Absätzen. Es ist nicht ausreichend, wie von der Textverarbeitung gewohnt, lediglich einen Umbruch mit Enter zu erzeugen. Dieser ist zwar im HTML-Editor sichtbar, wird aber vom Browser ignoriert.

Normalerweise bricht der Browser den Text innerhalb eines Absatzes automatisch am Ende eines Fensters in die nächste Zeile um. Soll bereits zuvor ein Zeilenwechsel erfolgen, erzwingt der Tag *
* (= break) eine neue Zeile innerhalb eines Absatzes. Das *
*-Tag ist leer und wird deshalb **ausnahmsweise** nicht geöffnet und geschlossen, sondern durch einen Schrägstrich vor der schließenden Klammer geschlossen.

Achtung: Jeder Fließtext im HTML-Dokument wird, genau wie innerhalb einer Textverarbeitung, in Absätze unterteilt. Die Textabsätze werden später mithilfe von CSS formatiert. Damit diese Formatierung gelingt, **muss zwingend jeder normale Fließtext mit *<p>* eingeleitet und mit *</p>* beendet werden.**

Das *<p>*-Element ist selbst ein Blockelement und darf keine weiteren blockerzeugenden Elemente wie z. B. Überschriften, Textabsätze oder Listen enthalten.

Text hervorheben / betonen

Um Text hervorzuheben, benutzt man allgemein das **<strong>**-Element.

Zum Betonen wird das **<em>**-Element verwendet.

Hervorgehobene Elemente werden vom Browser automatisch fettgedruckt dargestellt, betonte Elemente automatisch kursiv. Beispiel:

```
<strong>hervorgehobener Text</strong>
<em>betonter Text</em>
```

Listen

In HTML werden einige Listentypen zur Strukturierung angeboten:

- die geordnete (nummerierte) Liste,
- die ungeordnete (unnummerierte) Liste und
- die beschreibende Liste (Glossar),

die sich freilich auch kombinieren (verschachteln) lassen.

Bei der **nummerierten Liste** wird jedem Listeneintrag aufsteigend und fortlaufend eine Nummer vorangestellt. Die gesamte Liste wird durch den *<ol>*-Tag (= ordered list) gekapselt, jeder Listeneintrag durch den *<li>*-Tag (= list item). Ein Beispiel:

```
<ol>
  <li>erster Eintrag</li>
  <li>zweiter Eintrag</li>
  <li>letzter Eintrag</li>
</ol>
```

Im Browser sieht diese Liste dann wie folgt aus:

1. erster Eintrag
2. zweiter Eintrag
3. letzter Eintrag

Bei der **unnummerierten Liste** wird jedem Listeneintrag ein Aufzählungssymbol vorangestellt. Die gesamte Liste wird durch den *<ul>*-Tag (unordered list) gekapselt, jeder Listeneintrag selbst hingegen durch den *<li>*-Tag (list item). Ein Beispiel:

```
<ul>
  <li>erster Eintrag</li>
  <li>zweiter Eintrag</li>
  <li>letzter Eintrag</li>
</ul>
```

Und so sieht diese Liste im Browserfenster aus:

- erster Eintrag
- zweiter Eintrag
- letzter Eintrag

Beschreibende Listen rücken Definitionen auf eine gemeinsame Satzkante ein. Sie erhalten weder Nummern noch grafische Hervorhebungen. Sie sind insbesondere für Glossare gedacht, also Listen von Fachbegriffen und der zugehörigen Definition. Das *<dd>*-Tag stellt die Definition dar. Es muss zusammen mit dem *<dt>*-Tag benutzt werden, das den Begriff einschließt, und dem *<dl>*-Tag, das die Definitionsliste einleitet und beendet. Ein Beispiel:

```
<dl>
 <dt>Terminus 1</dt>
 <dd>Definition von Terminus 1</dd>
 <dt> Terminus 2</dt>
 <dd> Definition von Terminus 2</dd>
 <dt> Terminus  3</dt>
 <dd> Definition von Terminus 3</dd>
</dl>
```

Im Browser sieht diese Liste dann wie folgt aus:

Terminus 1
    Definition von Terminus 1
Terminus 2
    Definition von Terminus 2
Terminus 3
    Definition von Terminus 3

Listeneinträge lassen sich auch ineinander **verschachteln**, um weitere Listenebenen zu erhalten. Hier ein Beispiel mit zwei Listenebenen:

```
<ul>
  <li>Listeneintrag 1
   <ul>
    <li>Listeneintrag 1.1</li>
    <li>Listeneintrag 1.2</li>
    <li>Listeneintrag 1.3</li>
   </ul>
  </li>
  <li>Listeneintrag 2</li>
  <li>Listeneintrag 3</li>
</ul>
```

Im Browser sieht diese Liste so aus:

- Listeneintrag 1
  - Listeneintrag 1.1
  - Listeneintrag 1.2
  - Listeneintrag 1.3
- Listeneintrag 2
- Listeneintrag 3

To-Do 4: Erstellen einer Liste

1. Öffnen Sie Datei „to-do3.html".
2. Ergänzen Sie den Quelltext im Bereich <div id="textbereich"> </div> am Ende wie folgt:

```
<ul>
  <li>Der Einsatz von CSS spart Geld</li>
   <ul>
    <li>Der zeitliche Aufwand bei der Änderung sinkt drastisch
    <li>Die Internetseiten werden deutlich kleiner und sparen dadurch Traffic</li>
   </ul>
  </li>
  <li>Bessere Position der Seiten in Suchmaschinen</li>
  <li>Vergrößerte Reichweite, da Barrierefreiere Internetseiten von einer größeren
      Anzahl von Benutzern gelesen werden können</li>
  <li>Bessere Kontrolle der Platzierung von Elementen auf der Seite</li>
</ul>
```

> 3. Speichern Sie die Datei unter dem Namen to-do4.html.

Abb. 6: To-Do 4 in der Browseransicht

Hyperlinks und Anker

Verknüpfungen sind das eigentlich innovative Element des HTML-Codes. Links ermöglichen es, durch das Anklicken eines Begriffs zu einem externen Dokument (Hyperlink) oder einer anderen Stelle innerhalb eines Dokuments (Anker) zu springen.

Hyperlinks im Detail

Ein Link hat in HTML folgenden Aufbau:

```
<a href="Pfadangabe und Dateiname">Sichtbarer Text, der als Link fungiert</a>
```

Dabei steht „a" für anchor (englisch = Anker) und „href" für hyper reference (englisch = Hyperrefferenz).

Ein beispielhafter Verweis auf eine externe Seite ist demnach folgendermaßen aufgebaut:

```
<a href="http://www.meinehomepage.de/lebenslauf.html">hier klicken</a>
```

Üblicherweise wird diesem Aufbau noch das Attribut *title* hinzugefügt. Dieses bewirkt die Anzeige einer Beschreibung des Hyperlinks, wenn der User mit der Maus über dem Hyperlink verweilt:

```
<a href=http://www.meinehomepage.de/lebenslauf.html title="Hinter diesem Link verbirgt sich der Lebenslauf">hier klicken</a>
```

Im Browser sieht das dann so aus:

Abb. 7: Mauszeiger ruht im Browser auf einem Link

Exkurs: Attribute

An dieser Stelle ein kurzer Hinweis zur Bedeutung von dem soeben eingesetzten „Attribut": Attribute sind **Ergänzungen zu einem HTML-Tag**. Attribute bringen neben der Strukturierung weitere Informationen in die Tags. Die Syntax, mit der einem Tag ein Attribut gegeben wird, ist folgende:

```
<Tagname Attribut="Attributwert">
```

Zwischen Tagname und Attribut sollte genau ein Leerzeichen sein. Zwischen Attribut, Gleichheitszeichen und Attributwert sollten sich dagegen keine weiteren Leerzeichen befinden. Der Attributwert sollte in Anführungszeichen (""") gesetzt werden.

To-Do 5: Erstellen eines Hyperlinks

1. Öffnen Sie die Datei „to-do4.html".
2. Ergänzen Sie den Quelltext im Bereich <div id="textbereich"> </div> am Ende wie folgt:

```
<p> Für weitere Informationen zum Thema CSS empfehle ich Ihnen das Buch mit
dem Titel <a href="http://www.css-einfach.de" title="www.css-einfach.de - die offizielle
Website zum Buch">CSS einfach erklärt - Eine Einführung ins Webdesign anhand
konkreter Beispiele</a> von Jens Kilgenstein.</p>
```

3. Speichern Sie die Datei unter dem Namen to-do5.html.

Anker

Anker werden vor allem verwendet, wenn ein Text durch seine Länge sehr unübersichtlich ist und verschiedene Themen behandelt. Klickt man auf einen solchen Anker, wird **automatisch zu einer bestimmten Zeile im Text oder einer Überschrift gesprungen** bzw. gescrollt. Das erreicht man in zwei Schritten:

Schritt 1: Zunächst definiert man mit einem Befehl im Quelltext das Sprungziel, also die Stelle, zu der hingescrollt werden soll:

```
<a name="Ankername">Verweiszieltext</a>
```

Den in Anführungszeichen gesetzten Ankernamen können Sie sich frei ausdenken, er darf allerdings nur ein einziges Mal innerhalb des Webprojektes vergeben werden und keine Sonderzeichen, Umlaute und Leerzeichen enthalten. Der Bereich zwischen *<a name="Ankername">* und *</a>* darf nicht leer sein. Sie müssen also zwingend ein Wort im Fließtext oder eine Überschrift einkapseln. Möchten Sie z. B. auf eine Überschrift zweiter Ordnung verweisen, sieht der Befehl wie folgt aus:

```
<a name="Ankername"><h2>Diese Überschrift ist das Sprungziel</h2></a>
```

Schritt 2: Nachdem Sie den Anker gesetzt haben, brauchen Sie nur noch Verweise zu setzen, von denen aus zu dem Anker gesprungen werden soll. Das Sprungziel kann sich innerhalb derselben HTML-Datei oder einer externen HTML-Datei befinden. Beispiel für einen Verweis auf einen internen Anker:

```
<a href="#sprungziel">Link zur Überschrift</a>
```

Manchmal möchte man auch auf eine bestimmte Textzeile oder Überschrift in einem anderen HTML-Dokument verweisen. In diesem Fall kombiniert man einen Hyperlink mit einem Anker:

```
<a href="dateiname.html#sprungziel">Link zur Überschrift in der anderen Datei</a>
```

Der Browser lädt nun zunächst die Zieldatei und springt sofort an die entsprechende Stelle innerhalb der Datei.

Navigationselemente

Sehr wichtig in diesem Zusammenhang ist es, sich zu verdeutlichen, dass die Navigationselemente einer Webseite nichts anderes sind als eine Mischung aus Hyperlinks und unnummerierten Listen. Zusätzlich weisen wir bereits an dieser Stelle den Listenelementen eine eindeutige **ID** zu. Solche IDs ermöglichen später im CSS-Quelltext eine eindeutige Zuordnung zu einem ganz bestimmten HTML-Element. Den Namen kann man sich frei ausdenken, er darf allerdings nur einmalig vergeben werden. Später werden uns diese IDs dabei helfen, dem Besucher die Orientierung innerhalb der Webseite zu erleichtern, indem die aktuelle Position innerhalb des Navigationsmenüs hervorgehoben wird. Hierzu ist es auch notwendig, parallel dem Bereich *<body>* eine eindeutige ID zuzuweisen. Da die IDs lediglich der „internen" Zuordnung dienen, sind sie im Browser natürlich nicht sichtbar.

To-Do 6: Erstellen einer Navigation und Zuweisung von IDs
1. Öffnen Sie die Datei „to-do5.html".
2. Ergänzen Sie den Quelltext im Bereich *<div id="navigation"> </div>* wie folgt:

```
<ul>
  <li id="navi01"><a href="index.html">Startseite</a></li>
  <li id="navi02"><a href="kontakt.html">Kontakt</a></li>
  <li id="navi03"><a href="impressum.html">Impressum</a></li>
</ul>
```

3. Ergänzen Sie den Anfangs-Tag von body folgendermaßen:

```
<body id="startseite">
```

4. Speichern Sie die Datei unter dem Namen to-do6.html.

Wenn Sie die Datei nun in Ihrem Browser öffnen, sehen Sie eine sehr schlichte Form einer Navigation, die zunächst einmal ausreichend ist. Warum? Denken Sie noch einmal zurück an den Anfang des Buches. Innerhalb des HTML-Dokumentes geht es ja nur darum, Inhalte anzulegen und zu strukturieren. Das haben wir jetzt gemacht. Um das Design kümmern wir uns später innerhalb der CSS-Datei.

Das Einbinden von Grafiken

Bilder und Grafiken werden über den Tag *<img>* eingebunden. Browser können derzeit nur drei Grafikformate darstellen. Die Endungen lauten: jpg, png, gif. Genau wie das *
*-Tag ist der Tag *<img>* leer und wird deshalb **ausnahmsweise nicht geschlossen, sondern durch einen Schrägstrich vor der schließenden Klammer beendet**. Die einfachste Form ist:

```
<img src="Zieladresse und Dateiname" />
```

Allerdings ist es sinnvoll, außerdem die beiden Attribute „*width*" und „*height*" zu setzen. Hiermit teilen Sie dem Browser die Höhe und Breite des Bildes in Pixel (englisch = Bildpunkt) mit, und er reserviert diesen Platz, noch bevor er die Grafik tatsächlich geladen hat. Fehlt dieser Platzhalter, springt die Seite ansonsten beim Aufbau, wenn die Grafik tatsächlich geladen ist. Angenommen Sie möchten die Grafik urlaub.jpg einbinden, welche 120 Pixel breit und 60 Pixel groß ist, dann muss die Syntax wie folgt lauten:

```
<img src="urlaub.jpg" width="120" height="60" />
```

Mit dem Attribut „*alt*" definieren Sie einen Alternativtext, der anstelle des Bildes angezeigt wird, wenn das Bild noch nicht oder gar nicht angezeigt wird. Dies ist eine Hilfe zum Verständnis der Seite bei Browsern, bei denen Grafiken z. B. aus Schnelligkeitsgründen ausgeschaltet wurden oder der Betrachter aufgrund von Sehbehinderungen sie nicht wahrnehmen kann. Ergänzt sieht unser Beispiel dann so aus:

```
<img src="urlaub.jpg" width="120" height="60" alt="Urlaubsbild" />
```

Die Datei urlaub.jpg muss sich in diesem Beispielsfall in demselben Verzeichnis wie die HTML-Datei befinden. Befindet sich die Datenquelle nicht im identischen Verzeichnis, muss der vollständige Pfad als Referenz eingebunden werden. Angenommen das Bild liegt auf dem Host-Rechner http://www.meinehomepage.de im Verzeichnis „Bilder", sieht die Referenzierung wie folgt aus:

```
<img src="http://www.meinehomepage.de/bilder/urlaub.jpg" width="120" height="60"
alt="Urlaubsbild" />
```

Genauso wie beim Hyperlink ist auch bei Grafiken das optionale Attribut *"title"* anwendbar. Dieses gibt den Bildtext an und wird angezeigt, sobald man die Maus etwa zwei Sekunden über das jeweilige Bild hält. Der Bildtext kann als Beschreibung des Bildes dienen oder um zusätzliche Informationen anzugeben:

```
<img src="urlaub.jpg" width="120" height="60" alt="Urlaubsbild" title="Peter im Urlaub
in Rio de Janeiro.">
```

To-Do 7: Einfügen einer Grafik in den Bereich Kopfzeile
1. Öffnen Sie die Datei „to-do6.html".
2. Ergänzen sie den Quelltext im Bereich <div id="kopfzeile"> </div> wie folgt:

```
<img src="logo.png" alt="Logo" width="80" height="80" />
```

---

3. Speichern Sie die Datei unter dem Namen to-do7.html.

4. Laden Sie sich aus dem Leserbereich die Datei logo.png herunter und speichern Sie sie in demselben Verzeichnis ab, in dem auch die HTML-Datei abgespeichert ist.

Tabellen

Oftmals ist es sinnvoll, Daten in Zeilen und Spalten zu gliedern, die grafisch aneinander ausgerichtet werden. So lassen sich beispielsweise Statistiken, Fahrpläne oder kalendarische Übersichten in Tabellenform strukturiert und optisch ansprechend darstellen. Folgende HTML-Befehle können zum Zwecke einer tabellarischen Darstellung angewendet werden:

<u>*<table>* (die Tabelle):</u>
- *<table>* leitet grundsätzlich den Beginn einer jeden **Tabelle** ein, *</table>* beendet ihn.

<u>*<tr>* (die Tabellenreihe):</u>
- *<tr>* leitet den Beginn einer Tabellen**reihe** ein, *</tr>* beendet ihn.

<u>Die Tabellenzellen (Kopf- und Datenzellen):</u>
Die Tabellen**zellen** können Kopfzellen (die Kategorieüberschrift) und gewöhnliche Datenzellen enthalten. Indem man zwischen Zellen, die der Kategoriebeschreibung dienen (th), und Zellen, die Informationen passend zu einer Kategorie beinhalten (td), unterscheidet, gibt man der Tabelle eine semantische Struktur. Text in Kopfzellen wird auch ohne CSS defaultmäßig vom Browser anders dargestellt (meist fett und zentriert ausgerichtet) als die Datenzellen.

- *<th>* leitet eine Kopfzelle ein, *</th>* beendet sie.
- *<td>* eine normale Datenzelle ein, *</td>* beendet sie.

Betrachten Sie zur Verdeutlichung bitte nachfolgendes Beispiel:

```
<table border="1">
  <tr>
   <th>Produktname</th>
   <th>Artikelnummer</th>
   <th>Preis</th>
  </tr>
  <tr>
   <td>Bier</td>
   <td>83114</td>
   <td>2,80 Euro</td>
  </tr>
  <tr>
   <td>Mineralwasser</td>
   <td>59375</td>
   <td>4,50 Euro</td>
  </tr>
</table>
```

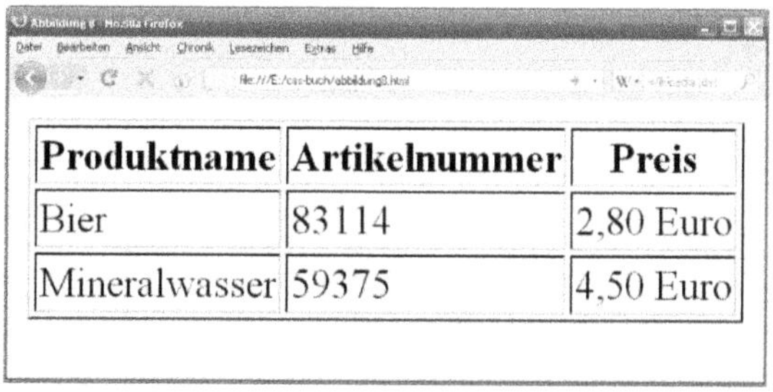

Abb. 8: Eine einfache Tabelle (stark vergrößert)

Produktname	Artikelnummer	Preis
Bier	83114	2,80 Euro
Mineralwasser	59375	4,50 Euro

Achtung: Das Attribut **border="1"** wurde hier angegeben, um zur Verdeutlichung sichtbare Rahmen zu erreichen (border=Rahmen). In einem regulären Quelltext sollte es auf HTML-Ebene keinesfalls verwendet werden, sondern auf CSS-Ebene.

To-Do 8: Erstellen der Datei informationen.html inklusive einer Tabelle
1. Erstellen Sie eine neue Datei mit
   - einem HTML-Grundgerüst,
   - den identischen Bereichseinteilungen wie in der Datei index.html und
   - passen Sie die Überschrift an (statt "Startseite" fügen Sie "Informationen" ein)
2. Speichern Sie die Datei unter dem Namen informationen.html.
3. Ergänzen Sie den Quelltext im Bereich **<div id="textbereich"> </div>** wie folgt:

```
<table>
 <tr>
  <th>Hersteller</th>
  <th>Mai</th>
  <th>Juni</th>
  <th>Juli</th>
  <th>August</th>
 </tr>
 <tr>
  <td>Mozilla</td>
  <td>52 %</td>
  <td>21 %</td>
  <td>15 %</td>
  <td>12 %</td>
 </tr>
 <tr>
  <td>Microsoft</td>
  <td>21 %</td>
  <td>15 %</td>
  <td>12 %</td>
  <td>52 %</td>
 </tr>
  <tr>
  <td>Opera</td>
  <td>15 %</td>
  <td>12 %</td>
  <td>52 %</td>
  <td>21 %</td>
 </tr>
  </tr>
  <tr>
  <td>Apple</td>
  <td>12 %</td>
  <td>52 %</td>
  <td>21 %</td>
  <td>15 %</td>
 </tr>
</table>
```
3. Speichern Sie die Datei erneut ab.

Sonderzeichen

Es gibt Zeichen, die Sie nicht ohne Weiteres als Textinhalt in Ihr HTML-Dokument einfügen können. Der Grund liegt darin, dass sie in HTML bereits ihre eigene Bedeutung haben. So haben wir bereits einige Elemente und Attribute kennengelernt, die z. B. spitze Klammern, das Gleichheitszeichen oder Anführungsstriche verwenden. Ein Beispiel: Wenn Sie "a<b" schreiben, dann interpretiert der Browser das Zeichen "<" als Beginn eines Tags und wird Ihr Dokument nicht korrekt anzeigen. Hinzu kommt der Aspekt, dass nicht alle Zeichen tatsächlich auf der Tastatur vorhanden sind. Die Lösung für diese beiden Problemfälle: Diese Sonderzeichen werden im HTML-Quelltext einfach in einer besonderen Form geschrieben. Der Aufbau solcher Zeichen sieht so aus: Zuerst wird ein kaufmännisches Und (&) notiert, dahinter folgt der Namen des Zeichens, welches zuletzt immer mit einem Semikolon (;) abgeschlossen wird. Beispielsweise wird eine öffnende spitze Klammer (<) in HTML wie folgt maskiert werden:

<

In der nachfolgenden Tabelle finden Sie eine kleine Auswahl der wichtigsten Sonderzeichen für HTML:

Zeichen	Beschreibung	Name in HTML
<	öffnende spitze Klammer	&lt;
>	schließende spitze Klammer	&gt;
&	kaufmännisches Und (Englisch=Ampersand)	&amp;
"	Anführungszeichen	&quot;
©	Copyright-Zeichen	&copy;
	geschütztes Leerzeichen	
€	Euro-Zeichen	&euro;

▶ Für weitere Sonderzeichen (Symbole, griechische Buchstaben usw.) folgen Sie bitte den Links im Leserbereich.

HTML-Check / Validierung

Damit die verwendeten HTML-Elemente von allen abrufenden Browsern richtig verstanden und dargestellt werden können, ist es wichtig, sich **penibel an die HTML-Grammatik zu halten**. Die Grammatik für HTML (im Übrigen auch für CSS) wird verbindlich von einer Organisation namens World Wide Web Consortium (W3C) erarbeitet. Die Überprüfung einer Webseite auf Einhaltung dieser Standards nennt man **Validierung**. Nur zu häufig vergisst man beispielsweise eine spitze Klammer oder innerhalb der spitzen Klammer den Schrägstrich, der den Befehl beendet. Zwar enthalten moderne Browser ausgeklügelte Routinen, die auch mit schlechtem HTML-Code zurechtkommen, sodass eine Seite trotz zahlreicher Fehler im Quellcode oftmals trotzdem korrekt dargestellt wird. Es gibt aber noch zwei weitere Gründe, warum man auf einen „sauberen" Quellcode achten sollte. Zum einen benötigen Suchmaschinen (z. B. Google oder Yahoo) einen validierten Quellcode. Wenn Sie also möchten, dass Ihre Website später in den Verzeichnissen der Suchmaschinen auftaucht, ist ein sauberer Code hierfür die wichtigste Voraussetzung. Der zweite Grund hängt damit zusammen, dass das Internet auch von vielen Menschen genutzt wird, die körperlich eingeschränkt sind, beispielsweise durch eine Sehbehinderung oder gar Blindheit. Eine fehlerhafte Textauszeichnung kann dazu führen, dass die von diesem Personenkreis benutzten Sprachbrowser Schwierigkeiten bekommen. Diese Problematik wird diskutiert unter dem Überbegriff „barrierefreies Internet".

Aus diesen Gründen sollte jede Website vor dem Publizieren grundsätzlich validiert werden! Das W3C hat einen Online-Service eingerichtet, mit dessen Hilfe eine Validierung online durchgeführt werden kann. Diesen kostenlosen Service erreichen Sie unter folgender Adresse:

▶ http://validator.w3.org/

Im Validator geben Sie die URL Ihrer Internetseite an und mit einem Klick auf den Button Check starten Sie die Überprüfung. Dateien, die noch nicht online erreichbar sind, können Sie hochladen oder in ein Textfeld kopieren.

Vervollständigung der HTML-Ebene unserer Beispielseite

Abschließend werden wir nun die HTML-Ebene komplettieren, um uns im nächsten Kapitel ganz auf die Formatierung mithilfe von CSS konzentrieren zu können. Dabei haben Sie die Gelegenheit, die gelernten Tags selbstständig anzuwenden. Die einzelnen Arbeitsschritte werden Ihnen deshalb nur noch stichwortartig vorgegeben. Versuchen Sie bitte, die Aufgaben zunächst selbstständig zu lösen. Natürlich dürfen Sie die vorherigen Kapitel dieses Buches als Hilfsmittel verwenden, Sie finden deshalb in der rechten Spalte einen Verweis auf die entsprechende Seite. Vergleichen Sie Ihr Ergebnis aber erst, nachdem sie es eigenständig probiert haben, mit den Lösungsdateien, die Sie im Leserbereich finden.

To-Do 9: Komplettierung der HTML-Ebene	Siehe Seite
1. Öffnen Sie die Datei to-do7.html.	
2. Ändern Sie die Überschrift der Datei to-do7.html wie folgt: "Ein Plädoyer für das Layout mit CSS - Startseite".	13
3. Gehen Sie zum Bereich *div id="textbereich"*. Fügen Sie dort unterhalb der Überschrift erste Ebene den Satz ein: "Mit HTML werden Inhalte strukturiert. "	
4. Fügen Sie daran anschließend einen Zeilenumbruch ein.	19
5. Fügen Sie daran anschießend den Satz ein: "Mit CSS wird der strukturierte Inhalt formatiert. "	
6. Formatieren Sie die beiden Sätze als Absatz.	19
7. Fügen Sie unterhalb der Überschrift zweiter Ebene folgenden Satz ein: "Nachfolgend finden sie eine Auflistung der wichtigsten Gründe für die Nutzung von CSS: ".	
8. Formatieren Sie den Satz als Absatz.	19
9. Fügen Sie im Bereich *div id="fusszeile"* folgenden Text ein: "© by Heinz Homepagebauer"	
10. Benennen Sie die Datei to-do7.html um in den Dateinamen index.html.	14

11. Erstellen Sie eine neue Datei mit
    - einem HTML-Grundgerüst,
    - den identischen Bereichseinteilungen wie in der Datei index.html und
    - passen Sie die Überschrift an (statt "Startseite" fügen Sie "Impressum" ein).
    - Fügen Sie im div-Element *"textbereich"* ein beliebigen Impressumstext ein (Name und Adresse).
	12
	
	16

12. Speichern Sie die Datei unter dem Namen "impressum.html" ab.	
13. Fügen Sie in den beiden Dateien impressum.html und informationen.html im Bereich *div id="fusszeile"* den identischen Text wie unter Punkt 9 ein.	
14. Fügen Sie dem *<body>* der beiden Dateien impressum.html und informationen.html entsprechend ihrem Dateinamen eine eindeutige ID hinzu.	25

15. Tragen Sie in allen drei HTML-Dokumenten im div-Element *"kopfzeile"* folgenen Text ein: Stilvolles Design mit CSS. Die letzten beiden Wörter markieren Sie als Inline-Element mithilfe von *span*.	17
16. Validieren Sie alle drei erstellten HTML-Dokumente beim Online-Service des W3C.	31

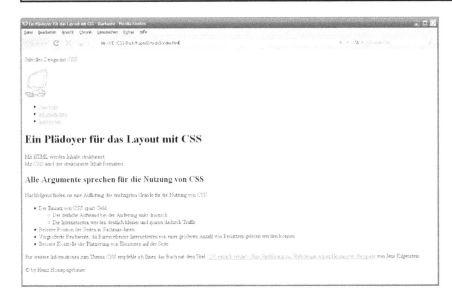

Abb. 9: Die rein mit HTML strukturierte Startseite in der Endfassung

Wenn sie To-Do 9 ohne größere Probleme lösen konnten: Herzlichen Glückwunsch! Sie haben somit ein solides Grundwissen für die HTML-Grammatik erworben und können damit den ersten Baustein jedes modernen Webprojektes, den HTML-Quellcode, meistern. Die Strukturierungsebene ist damit abgeschlossen. Im Nächsten Kapitel werden wir mit Hilfe von CSS diese strukturierten Inhalte formatieren, und damit unserem jetzt noch sehr müde wirkenden Beispieldateien Leben einhauchen. **Stay tuned!**

Kapitel 3:
CSS - Inhalte gestalten

Machen wir uns nun daran, die mit HTML angelegten und strukturierten Inhalte mithilfe von CSS zu gestalten. Zur Erinnerung: Im HTML-Dokument haben wir die Bereichseinteilungen in Form rechteckiger Kästen (Containern, Boxen, Bereichen, Kisten) grundsätzlich angelegt. Ab jetzt geht es um das Design dieser Kästen. Die Gestaltungsmöglichkeiten, die uns CSS dabei bietet, lassen sich in drei Bereiche unterteilen:

1. Den **Inhalt** der Kästen (Farben und Schriften) gestalten (ab S. 41).
2. Die **Abstände** der Kästen und deren Rahmenlinien gestalten (ab S. 51).
3. Die **Position** der Kästen definieren (ab S. 81).

In genau dieser Reihenfolge werden wir nachfolgend die einzelnen CSS-Bestandteile kennenlernen.

Der allgemeine Aufbau einer CSS-Regel

Genauso wie HTML hat auch CSS seine eigene Syntax. Dreh- und Angelpunkt bei den Ausführungen bezüglich HTML waren die Elemente. Bei CSS sind es die sogenannten **Regeln** (häufig auch als Stilregeln oder Style bezeichnet). Der schematische Aufbau einer CSS-Regel sieht folgendermaßen aus:

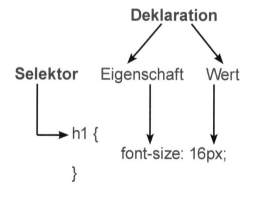

Abb. 10: Schematischer Aufbau einer CSS-Regel

Eine Regel besteht also in der Grundform aus

- einem Selektor
- und einer Deklaration bestehend aus Eigenschaft **und** Wert.

<u>Selektor:</u> Der Selektor bestimmt (selektiert), auf welche HTML-Elemente (rechteckige Kästen) sich die Regel bezieht.

<u>Deklaration:</u> Die Deklarationen müssen in geschweiften Klammern eingeschlossen werden. Der erste Teil benennt die zu gestaltende Eigenschaft (z. B. Schriftgröße oder Farbe) gefolgt von einem Doppelpunkt. Der zweite Teil bestimmt den Wert, den die Eigenschaft annehmen soll. Hinter jedem Eigenschaft-Wert-Paar steht ein Semikolon.

Schauen wir uns nun ein konkretes Beispiel für eine Regel an:

```
h1 {
font-size: 16px;
color: red;
}
```

Der Selektor *h1* definiert, dass diese Stilregel auf alle *h1*-Überschriften des Dokumentes angewendet werden soll. Korrespondierend wurden zwei Deklarationen angelegt: Als Erstes definiert die Eigenschaft *font-size* den Schriftgröße aller Absätze auf den Wert 16 Pixel. Die zweite Eigenschaft *color* bewirkt, dass alle *h1*-Überschriften in roter Schrift (= Wert) dargestellt werden.

Selektoren
Soeben haben wir einen Selektor kennengelernt, der sich auf ein bestimmtes HTML-Element (*h1*) bezog. Verwendet man den Selektor in dieser Form, hat man das Problem, dass sich die Deklaration **auf ausnahmslos alle im Selektor genannten HTML-Elemente des gesamten Webprojektes bezieht**. Wollen Sie z. B. auf einer Unterseite die *h1*-Überschriften nicht in Rot mit *16px* darstellen, ist das mit dem soeben verwendeten Selektor nicht möglich. Um dieses Problem zu umgehen, gibt es zwei spezielle Selektoren, die nur in einem bestimmten, zuvor von ihnen definierten Bereich zur Anwendung kommen: ID-Selektoren und Klassen-Selektoren. Beide Selektoren bieten die Möglichkeit, Stilregeln für bestimmte HTML-Elemente zu definieren. ID-Selektoren sind **einmalig** und dürfen innerhalb eines Webprojektes nur ein einziges Mal vorkommen. Klassen-Selektoren können hingegen innerhalb eines Webprojektes **mehrfach** verwendet werden.

ID-Selektor

Der ID-Selektor definiert eine Stilregel, die für **ein einzelnes HTML-Element** auf einer Seite gültig ist. Somit ist es **nicht** möglich, dieselbe ID an mehrere HTML-Tags zu vergeben. Die Zuweisung einer ID im HTML-Quelltext haben wir bereits bei den *<div>*-Bereichseinteilungen kennengelernt (siehe Seite 16). Wir erinnern uns:

```
<div id="kopfzeile"> </div>
<div id="navigation"> </div>
<div id="textbereich"> </div>
<div id="fusszeile"> </div>
```

Im CSS benutzen Sie den Wert von *id* (also z. B. kopfzeile) als Selektor und schreiben eine Raute davor:

```
#kopfzeile {
color: red;
}
```

Klassen-Selektor

Um **mehrere** HTML-Elemente auf einmal zu definieren, wird der Klassen-Selektor verwendet. Um eine Klasse anzulegen, gibt man ihr einen beliebigen Namen und schreibt einen Punkt davor:

```
.einzigartig {
color: red;
}
```

Im HTML-Quelltext definiert man eine Klasse, indem man dem betreffenden Tag das Attribut *class* mitgibt und diesem einen Namen gibt:

```
<p class="einzigartig">Hier steht Text.</p>
```

Man kann einem Element auch zwei oder mehr Klassen zuweisen. Hierzu werden alle gewünschten Klassen, durch Leerzeichen getrennt, hintereinandergeschrieben:

```
<p class="einzigartig andersartig">Hier steht Text.</p>
```

Universal-Selektor

Der Universal-Selektor wird mit einem Sternchen gesetzt und wird automatisch auf alle HTML-Elemente einer Website angewendet:

```
* {
color: red;
}
```

Der Universalselektor wird sehr selten verwendet, da es meistens ja gerade nicht gewünscht ist, eine Stilregel gnadenlos auf alle HTML-Elemente anzuwenden. Gute Dienste leistet er allerdings bei Justierung einer Website. Deshalb werden wir später auf den Universalselektor zurückkommen (siehe Seite 59).

Pseudo-Klassen-Selektor

Pseudoklassen sind Selektoren, die auf Elemente zugreifen, die es in HTML in dieser Form gar nicht gibt – darum auch die Bezeichnung „Pseudo...". Sie erlauben es Ihnen, zwischen **verschiedenen Zuständen** oder Ereignissen zu unterscheiden, wenn Sie **eine Eigenschaft** für einen HTML-Tag festlegen. So gibt es beispielsweise kein HTML-Element, das den Status eines Hyperlinks (aktive oder besuchte Links) ausdrückt. Die genaue Verwendung von Pseudoklassen wird im Kapitel „Gestaltung von Hyperlinks" beschrieben (siehe Seite 70).

Selektor-Gruppierung

Wenn mehrere Selektoren die gleichen Deklarationen teilen, können diese gruppiert werden, um sich das mehrfache Schreiben einer Regel zu ersparen. Jeder Selektor muss durch ein Komma abgetrennt werden:

```
h1, h2, h3 {
color: red;
}
```

Wichtig hierbei: Die gruppierten Selektoren dürfen nicht mit einem Komma abschließen!

Auch verschiedenartige Selektortypen lassen sich gruppieren:

```
h1, .einzigartig {
color: red;
}
```

CSS in ein HTML-Dokument einbinden

Ganz am Anfang dieses Buches hatten wir festgestellt, dass eine moderne Website aus (mindestens) einer HTML-Datei und einer CSS-Datei besteht. Die HTML-Dateien haben wir bereits angelegt und abgespeichert. Nun legen wir die CSS-Datei an. Erstellen Sie hierzu eine leere Datei mit einem beliebigen Editor und speichern Sie sie mit der Datei-Endung *.css ab. Die CSS-Datei bleibt vollkommen leer, ein Grundgerüst wie bei den HTML-Dateien gibt es nicht. Da wir im Browser immer die HTML-Datei aufrufen, müssen wir nun innerhalb der HTML-Datei eine Verbindung zur CSS-Datei definieren. Das machen Sie im *head*-Abschnitt mithilfe des *<link>*-Tags:

```
<head>
<link rel="stylesheet" type="text/css" href="dateiname.css" />
</head>
```

To-Do 10: Eine CSS-Datei erstellen und Sie in die HTML-Datei einbinden

1. Öffnen Sie eine leere Datei in einem Editor (Notepad oder ein CSS-Editor Ihrer Wahl).
2. Erstellen Sie eine leere Datei und speichern Sie sie unter dem Namen mylayout.css ab, und zwar im selben Ordner, wo auch schon Ihre HTML-Dateien liegen.
3. Öffnen Sie die bisher erstellten HTML-Dateien und fügen Sie im *head* die Verbindung zum Styesheet ein:

```
<link rel="stylesheet" type="text/css" href="mylayout.css" />
```

4. Speichern Sie die geänderten HTML-Dateien.

Neben der soeben praktizierten Auslagerung in eine externe Datei gibt es noch zwei weitere Möglichkeiten, Stil-Anweisungen einzubinden: entweder im Head-Bereich des HTML-Dokuments oder direkt im HTML-Tag. Auf ihre Anwendung sollte allerdings möglichst verzichtet werden, da sie die Vorzüge der Trennung von Inhalt und Design in unterschiedlichen Dateien zunichtemachen. Deshalb sollten sie allenfalls innerhalb der Entwicklungsphase zum Testen bestimmter Werte verwendet werden.

1. Im Head-Bereich des HTML-Dokuments (embedded)

Hierzu wird zunächst ein *<style>*-Element mit dem Attribut *type="text/css"* im Head-Bereich des HTML-Dokuments notiert. Innerhalb des Elements stehen dann die CSS-Anweisungen.

```
<html>
<head>
 <title>Startseite</title>
 <style type="text/css">
  body {color: #FF0000;}
 </style>
</head>
<body>
 <p>Dies ist ein Absatz mit roter Schrift..</p>
</body>
</html>
```

CSS-Regeln im Kopf einer HTML-Seite werden auf alle Teile des jeweiligen Dokuments angewandt. Sie gelten somit nur für dieses eine HTML-Dokument und müssen im Head-Bereich **jeder** HTML-Datei neu eingefügt werden.

2. Direkt im HTML-Tag (inline)

Das Attribut *style* eines HTML-Elements nimmt CSS-Regeln auf, die nur speziell für dieses Element gelten. Die geschweiften Klammern entfallen. Beispiel:

```
<html>
 <head>
  <title>Startseite</title>
 </head>
 <body>
  <p style="color: #FF0000;">Dies ist ein Absatz mit roter Schrift.</p>
</html>
```

Kommentare im CSS-Quelltext

Wie in HTML gibt es auch in CSS die Möglichkeit, Kommentare zu notieren. Ein Kommentar beginnt mit /* und endet mit */. Beispiel:

```
/* Dies ist ein Kommentar */
```

Kapitel 4:
Den Inhalt der Kästen (Farben und Schriften) gestalten

Farben ins Spiel bringen

Nachfolgend werden wir uns damit beschäftigen, wie man Text, Hintergründe und andere Elemente mit Farbe ausstattet.

Vordergrund- und Hintergrundfarbe definieren

Wir beginnen nun mit der farblichen Gestaltung unserer Website. Als ersten Schritt werden wir den in HTML angelegten Kästen Farben zuweisen. Hierfür wird die Eigenschaft *background-color* verwendet. Die Definition (also das Anlegen und Strukturieren) der Bereiche haben wir ja bereits im HTML-Quelltext mithilfe der Elemente *<span>* und *<div>* durchgeführt. Wollen wir jetzt beispielsweise den Kasten, den wir für die Kopfzeile angelegt haben, gelb einfärben, müssen wir folgende Stilregel anlegen:

```
#kopfzeile {
  background-color: yellow;
}
```

Damit ist Gelb (Wert) als Hintergrundfarbe (Eigenschaft) für den Kasten kopfzeile (Selektor) definiert. Nun gibt es bei CSS die Besonderheit, dass man eine Hintergrundfarbe stets zusammen mit der Vordergrundfarbe festlegt. Mit Vordergrundfarbe ist die Schriftfarbe des Textes gemeint. Der Grund hierfür ist, dass jeder Benutzer in seinem Browser Voreinstellungen unter anderem bezüglich der Vordergrund- und Hintergrundfarbe tätigen kann. Hat ein Betrachter Ihrer Website in seinem Browser z. B. eine Vordergrundfarbe eingestellt, die in Ton und Helligkeit der von Ihnen definierten Hintergrundfarbe ähnelt, erscheint Ihre Seite ohne Inhalt. Mehr zu dieser Problematik erfahren Sie im Kapitel über die Kaskade von CSS (siehe Seite 127). Um die Vordergrundfarbe zu definieren, verwenden wir die Eigenschaft *color*. Möchten wir für den Text die Farbe schwarz definieren, sieht unsere Stilregel komplettiert wie folgt aus:

```
#kopfzeile {
  color: black;
  background-color: yellow;
}
```

Nun werden wir das gelernte Anwenden, indem wir den Kästen *body, wrapper, kopf-zeile* und *fusszeile* Vordergrund- und Hintergrundfarben zuweisen. Damit wir die Struktur der einzelnen Kästen einfach unterscheiden können, werden wir bewusst kontrastreiche Farben verwenden.

To-Do 11: Vordergrund- und Hintergrundfarben für body, wrapper, kopfzeile und fusszeile zuweisen

1. Öffnen Sie die leere Datei mylayout.css in Ihrem Editor und ergänzen Sie sie um folgende Regeln:

```
body {
  color: white;
  background-color: silver;
}
#wrapper {
  color: black;
  background-color: white;
}
#kopfzeile {
  color: black;
  background-color: yellow;
}
#fusszeile {
  color: black;
  background-color: aqua;
}
```

2. Speichern Sie die geänderte CSS-Datei und betrachten Sie die HTML-Dateien in Ihrem Browser.

Farbangaben bestimmen

Grundsätzlich gibt es zwei Möglichkeiten, Farben in CSS zu definieren:

- durch Angabe eines (englischen) Farbnamens
- durch Angabe der RGB-Werte

Englischer Farbname

Bis zu diesem Punkt haben wir die gewünschte Farbe durch Angabe des **englischen** Farbnamens definiert. Die Verwendung von Farbnamen ist allerdings nur sehr eingeschränkt möglich. Laut W3C-Standard unterstützt CSS lediglich 17 solcher Farbnamen. Trotzdem ist es gerade in der Entwicklungsphase eines Webprojekts sinnvoll, mit diesen wenigen Farben zu beginnen, da es der anschaulichste Weg ist, Farben im Quelltext zu beschreiben. So lässt sich direkt im Code ablesen, welche Farbe zum Einsatz kommt, ohne dass komplizierte Hexadezimalwerte umgerechnet werden müssen. Auch das Austesten verschiedener Grundfarben ist deutlich einfacher, da man die englischen Farbnamen im Kopf hat. Die farbliche Feinabstimmung kann man später mit RGB-Werten vollziehen. CSS unterstützt folgende Farbnamen:

CSS-Farbname	Deutsche Übersetzung	
black	schwarz	
silver	silber	
gray	grau	
teal	dunkeltürkies	
aqua	türkies	
blue	blau	
navy	dunkelblau	
green	dunkelgrün	
lime	grün	
white	weiß	
fuchsia	lila	
purple	dunkellila	
olive	dunkelgelb	
yellow	gelb	
orange	orange	
red	rot	
maroon	dunkelrot	

RGB-Werte

Im Gegensatz zu den Farbnamen legen Sie bei den RGB-Werten die genaue Zusammensetzung des Farbtons fest, den Sie verwenden möchten. Im RGB-Modell werden drei Grundfarben bestimmt, aus denen sich alle anderen Farben mischen lassen: Rot, Grün und Blau (RGB). Stellen Sie sich vor, Sie haben eine rote, eine grüne und eine blaue Taschenlampe. Wenn Sie sie alle drei mit voller Intensität anmachen und auf ein und denselben Punkt richten, erhalten Sie dort weißes Licht; leuchten nur Rot und Grün (fehlt also Blau), mischt sich daraus Gelb und so weiter. Schalten Sie alle Taschenlampen aus, ist der Fleck schwarz. Genauso funktioniert auch das RGB-Prinzip. Jede Farbe kann einen Wert zwischen 0 und 255 annehmen. Nimmt man den höchsten Wert, erhält man eine reine Farbe. So besteht Rot dann aus den Anteilen 255 Rot, 0 Grün und 0 Blau. Weiß ist 255, 255, 255 und Schwarz das Gegenteil 0, 0, 0. Damit es nicht zu einfach wird, werden die Werte im CSS-Quelltext hexadezimal angegeben. Zur Verdeutlichung schauen wir uns noch einmal die Farbe Rot an.

Rot dezimal: R=255 G=0 B=0
Rot hexadezimal: #FF0000

Die Umrechnung von dezimal nach hexadezimal beherrscht jeder wissenschaftliche Taschenrechner, so auch der Windows-Rechner (in der Ansicht „wissenschaftlich"). Geben Sie den dreistelligen Dezimalwert für Rot (255) ein und drücken Sie HEX. Sie werden feststellen, dass nun FF angezeigt wird. Aber keine Panik - Sie müssen nicht jeden Farbwert auf diese Weise errechnen. Jedes etwas bessere Grafikprogramm und auch viele CSS-Editoren besitzen einen Farbmischer, welcher direkt den Hexadezimalwert anzeigt. In der Praxis mischen Sie sich also in einem solchen Programm die gewünschte Farbe und übertragen lediglich den angezeigten Hexadezimalwert in den CSS-Quellcode.

Schriftformatierungen

Das menschliche Auge ermüdet am Computer wesentlich schneller als beim normalen Lesen von z. B. Büchern. Deshalb ist es notwendig, sich über die Textgestaltung für Web-Anwendungen einige grundlegende Gedanken zu machen. Schließlich ist es ja das Ziel jedes Anbieters von Webseiten, dass die Besucher die angebotenen Inhalte möglichst häufig und ausgiebig frequentieren. Hierfür stehen uns folgende Eigenschaften zur Verfügung:

- *font-family*: Definiert die Schriftart(en).
- *font-size*: Definiert die Schriftgröße.
- *line-height*: Definiert die Zeilenhöhe.

Die Eigenschaft *font-family*

Sicherlich kennen Sie Schriftarten wie „Arial" oder „Times New Roman" aus der Arbeit mit Ihrem Textverarbeitungsprogramm. Mithilfe der Eigenschaft *font-family* lässt sich festlegen, welche Schriftart der Browser bei der Anzeige verwenden soll. Die grundlegende Schriftgestaltung wird am besten im *body* gemacht, da sie an alle weiteren Elemente weitergegeben (vererbt) wird. Man braucht die gewünschte Schriftart also nur ein einziges Mal im Quelltext anzugeben, da der umschließende Kasten body diese Definition an alle nachfolgenden Kästen automatisch vererbt. Mehr zum Thema Vererbung erfahren Sie später (siehe S. 131). Eine CSS-Regel, die als grundlegende Schriftart „Arial" definiert, sieht wie folgt aus:

```
body {
  font-family: Arial;
}
```

Damit hat der Browser nun eine eindeutige Anweisung, die Textinformationen in der Schriftart „Arial" anzuzeigen. Doch was passiert, wenn dem Browser die Schriftart „Arial" nicht zu Verfügung steht, weil sie auf dem Rechner, der die Website anzeigt gar nicht installiert ist? Ist „Arial" überhaupt als Standardschriftart auf jedem Rechner installiert? Nun, zunächst einmal gibt es keinen Standard und damit auch keine Spezifikation, die vorschreibt, welche Schriften im System installiert sein müssen. Theoretisch kann z. B. jeder Windows-User die Schrift „Arial" auf seinem System löschen. Praktisch wird sich wohl kaum ein System finden, auf dem ein Benutzer tatsächlich „Arial" gelöscht hat. Bei Schriften wie „Arial" oder „Times New Roman" kann man also mit einer ziemlich hohen Wahrscheinlichkeit davon ausgehen, dass diese auf den meisten Systemen vorhanden sind. Bei anderen Schriftarten, die nicht bei der Standardinstallation des Betriebssystems automatisch mitinstalliert werden, ist es hingegen reiner Zufall, wenn sie tatsächlich beim Anwender vorhanden sind. Um das Design dennoch möglichst weitgehend kontrollieren zu können, werden alternative Schriften angeben die der Browser sukzessive verwendet:

```
body {
  font-family: Arial, Verdana;
}
```

In diesem Beispiel verwendet der Browser - sofern vorhanden - Arial als Schriftart. Ist Arial nicht installiert, kommt Verdana zum Einsatz.

Keine besonderen Gedanken muss man sich als Webdesigner im Übrigen um User mit Apples Mac OS machen. Alle im Webdesign gängigen Schriftarten, die unter Windows weit verbreitet sind, sind auch unter Mac OS als Standardschriften installiert. Ein entsprechendes Abkommen zwischen Microsoft und Apple wurde erst im August 2007 verlängert.

▶ Für weitere Informationen über dieses Abkommen und welche Standardschriften unter Mac OS installiert sind, folgen Sie bitte den Links im Leserbereich.

Doch damit nicht genug. Für den Fall, dass auch keine der angegebenen Alternativschriften installiert ist (insbesondere auch auf Linux- und Unixsystemen), kann man als letzte Option noch eine allgemeine Schriftgattung zuweisen. Das gewünschte Schriftdesign bleibt so zumindest noch grundlegend gewahrt. CSS unterscheidet fünf allgemeine Sammelbezeichnungen für solche übergeordneten Schriftfamilien:

serif: Diese Schriftarten haben kleine Hilfslinien an den Buchstaben (sogenannte Serifen), die den Lesefluss erleichtern, weshalb Serifenschriften in Bücher und Zeitungen verwendet werden. Die wohl bekannteste Serifenschrift ist „Times New Roman".
sans-serif: Schriften ohne Serifen sind deutlich anstrengender zu lesen und werden deshalb in Papiermedien lediglich für Überschriften verwendet. Bekanntestes Beispiel ist wohl „Arial".
cursive: Kursiv geschwungene Schriftarten, die teilweise oder vollständig verbunden sind und im Ergebnis an Schreibschriften erinnern. Ein Beispiel ist „Comic Sans MS".
monospace: Bei diesen Schriften haben alle Buchstaben die gleiche Breite, das kleine „i" nimmt also genau den gleichen Raum ein wie das große „M". Der Effekt ist ein Schriftbild ähnlich dem einer manuellen Schreibmaschine. Beispiel: „Courier".
fantasy: Schmuckschriften mit hauptsächlich dekorativem Charakter.

Welche dieser fünf Schriftfamilien sollte ich nun im Web verwenden, um dem Betrachter einen optimalen Lesefluss zu ermöglichen? Aussortieren können wir zunächst einmal cursive, monospace und fantasy. Das Lesen von Texten, die diese Schriftfamilien enthalten gestaltet sich anstrengend, weshalb sie lediglich als typografische Stilmittel begrenzt eingesetzt werden sollten (z. B. innerhalb von Infokästen). Bleiben also serif und sans-serif über. Nach dem bisher Gesagten müssten es die Serifenschriften sein, da sie dem Auge einen Anhaltspunkt bieten und damit besser erfassbar und lesbar sind. Doch leider wirken diese Schriften auf dem Bildschirm völlig anders als auf Papier. Aufgrund der geringen Auflösung von Bildschirmen (nur 72 oder 96 dpi im Vergleich zu üblichen 1200 bis 2400 dpi bei Drucksachen) können die Serifen nicht detailliert dargestellt werden. Dadurch neigt die Schrift insbesondere bei kleinen Größen, auszufransen und unscharf zu werden. Hinzu kommt das Problem der Überstrahlung: Der Monitor leuchtet von innen und reflektiert nicht wie Papier das Licht. Dadurch werden feine Details wie die Serifen leicht von der Hintergrundfarbe überstrahlt und damit verschluckt. Im Gegensatz zum Printmedium eignen sich deshalb serifenlose Schriften besser für das Lesen am Bildschirm. Neben Arial findet vor allem die speziell für den Einsatz am Bildschirm entwickelte Schriftart Verdana häufig Verwendung und wird auf den meisten Websites bevorzugt eingesetzt. Verdana ist etwas besser lesbar, da die Buchstaben nicht so dicht beieinander liegen, also die Laufweite größer ist.

Fassen wir also zusammen: Eine sinnvolle Regel, die die grundlegende Schriftgestaltung am Bildschirm definiert, besteht zunächst aus

- der favorisierten Schrift,
- einer oder mehrerer Alternativen sowie
- einer Schriftgattung.

Der Browser arbeitet diese Schriftenliste dann der Reihenfolge nach von links nach rechts ab. Schriftnamen, die Leerzeichen enthalten, werden in Anführungszeichen gesetzt. Abschließend ein Beispiel für eine komplettierte Regel:

```
body {
  font-family: Verdana, "Avant Garde", Helvetica, sans-serif;
}
```

Die Eigenschaft *font-size*

Die Schriftgröße wird durch die Eigenschaft *font-size* festgelegt. Es werden relative und absolute Maßangaben unterschieden. Die absoluten beziehen sich auf fest vorgegebene Definitionen, so zum Beispiel auf eine Höhe in Zentimetern oder in Punkten. Die relativen hingegen resultieren aus den Gegebenheiten des Systems, sodass beispielsweise ein Pixel bei einer Auflösung von 640 x 480 größer ist als bei 1024 x 768, was als Ergebnis eine kleinere Ausgabe in der größeren Auflösung mit sich bringt. Und eben weil die Bildschirmgröße und -Auflösung der Betrachter Ihrer Website höchst unterschiedlich ist, machen absolute Maßangaben am Bildschirm keinen Sinn. Hinzu kommt die Tatsache, dass nur relative Maßangaben vom Betrachter verändert (skaliert) werden können. Anwender, deren individuelle Sehkraft vom „Normalsichtigen" abweicht, haben damit die Möglichkeit, die Ausgabegröße des Textes individuell anzupassen (beim Internet Explorer und beim Firefox beispielsweise über das Menü „Ansicht" / „Schriftgrad"). Absolute Maßangaben sind hingegen sinnvoll, wenn es um das Drucken von Websites geht, da das Ausgabemedium in diesem Fall bei jedem User eine identische feste physische Größe hat (z. B. ein Blatt Papier im DIN-A4-Format). Für den Anfang ist es vollkommen ausreichend, mit folgenden zwei Maßangaben zu arbeiten:

- pt (Punkt): absolute Maßangabe für den Drucker, 1 Punkt entspricht 1/72 Inch (ca. 0,35 mm).
- em: relative Maßangabe für die Darstellung von Websites am Bildschirm. 1 em entspricht dabei 100 %, 0.8 em sind dann 80 % usw.

Genauso wie bei der Eigenschaft font-family ist es auch bei font-size sinnvoll, direkt im *body* den Grundwert zu definieren. Definiert man keine font-size im *body*, dann greifen fast alle Browser auf einen Standardwert von 16 px zurück, der dann 1 em entspricht. Bleibt die spannende Frage, welche Größe ideal für den *body*-Tag ist. Viele Websites greifen hier auf den Wert 0.8 em zurück. 0.8 em wird auf fast allen Browsern gleich groß dargestellt und entspricht 11 px. Erfahrungsgemäß lassen sich mit dieser Schriftgröße Bildschirmtexte am ehesten von den meisten Betrachtern ermüdungsfrei lesen - so dass sie tatsächlich ein empfehlenswerter Ausgangswert ist. Beispiel:

```
body {
  font-size: 0.8em;
}
```

font-size vererbt sich. Als Ausgangswert wird auf den Wert des direkt übergeordneten Elements zurückgegriffen (also nicht zwingend auf *body*). Abschließend noch drei Hinweise zur Schreibweise relativer und absoluter Maßangaben:

- Bei Bruchzahlen Punkte statt Kommata verwenden (1.5 statt 1,5)
- Keine Leerzeichen zwischen Wert und Maßeinheit (24pt statt 24 pt)
- Immer Maßeinheiten angeben (24pt statt 24)

Die Eigenschaft *line-height*

Die Eigenschaft *line-height* beschreibt die Zeilenhöhe für ein Element. Für eine gute Lesbarkeit von Schriften hat sich hier ein Wert von 1.5 bewährt:

```
body {
  line-height: 1.5;
}
```

Achtung: *line-height* ist eine der wenigen Eigenschaften, bei der dem Wert keine Einheit zugeordnet werden muss und sollte, um Vererbungsprobleme zu vermeiden.

To-Do 12: font-family, font-size und line-height definieren

1. Öffnen Sie die Datei mylayout.css in Ihrem Editor und ergänzen Sie sie um folgende Regeln:

```
body {
  color: white;
  background-color: silver;
  font-family: Verdana, Arial, Helvetica, sans-serif;
  font-size: 0.8em;
  line-height: 1.5;
}
```

2. Speichern Sie die geänderte CSS-Datei und betrachten Sie die HTML-Dateien in Ihrem Browser.

Die soeben getätigten Definitionen der Schrifteinstellungen wirken sich **nicht auf die Schriftgröße der Überschriften (*h1* und *h2*) aus**. Möchten Sie diese modifizieren, müssen sie gesondert definiert werden. Die bisherige Größe der Überschriften, die uns angezeigt wird, basiert auf Standardwerten des Browsers. Diese Werte sind in sogenannten Browser-Stylesheets hinterlegt, über die Sie nähere Informationen später im Kapitel „Kaskadierung" erfahren (siehe Seite 126). Wir werden nun eigene Werte angeben und damit die Standardwerte des Browsers überschreiben.

To-Do 13: Schriftgrößen für Überschriften definieren

1. Öffnen Sie die Datei mylayout.css in Ihrem Editor und ergänzen Sie sie am Ende um folgende Regeln:

```
h1 { font-size: 160%; }
h2 { font-size: 135%; }
```

2. Speichern Sie die geänderte CSS-Datei und betrachten Sie die HTML-Dateien in Ihrem Browser.

Buchtipp:

Stephan Linger
Wie spreche ich eine Frau an?
In 6 Schritten zum perfekten Date
ISBN-10: 3-8334950-1-4
ISBN-13: 978-38334950-1-4

Kurzbeschreibung:

Flirten ist ein uraltes Spiel der Geschlechter. Doch viele Männer haben Hemmungen, den ersten Schritt zu wagen, oder Angst davor, Fehler zu machen. Der vorliegende Ratgeber hilft Ihnen gezielt, solche Hemmungen und Ängste zu überwinden. In 6 Übungseinheiten erhalten Sie ausführliche Handlungsanweisungen, Tipps und Formulierungsbeispiele, damit es auch bei Ihnen in Zukunft so richtig funkt: Vom ersten Ansprechen über gekonntes Flirten im Büro bis zum ersehnten Rendezvous. Nach diesem Buch muss kein Mann mehr allein sein!

Alle weiteren Informationen finden Sie im Internet unter:

www.das-perfekte-date.de

Kapitel 5:
Die Abstände der Kästen und deren Rahmenlinien gestalten

Das Box-Modell

Jedes Element in HTML erzeugt einen rechteckigen Kasten (Box), in dem der darzustellende Inhalt angezeigt wird. Prinzipiell würde nun jeder Kasten an dem nachfolgenden Kasten „kleben". Vielleicht möchte man aber den Abstand zum nachfolgenden Kasten (Außenabstand) verändern. Oder man möchte den Kasten einrahmen. Und vielleicht möchte man zusätzlich bestimmen, dass diese Rahmenlinie vom eigentlichen Inhalt einen gewissen Abstand haben soll (Innenabstand). Alles kein Problem, CSS bietet eine Reihe von Eigenschaften und Werten, mit denen sich auf den Außenabstand, die Rahmenlinie und den Innabstand Einfluss nehmen lässt. Dieses Zusammenspiel wird als „Box-Modell" bezeichnet. Schauen sie sich einmal nachfolgende Grafik an:

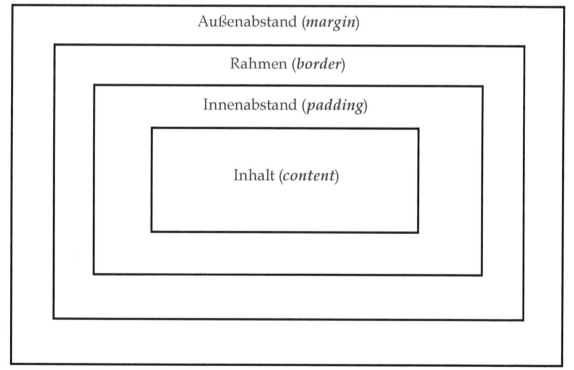

Abb. 11: Das Box-Modell beschreibt die verschiedenen Bestandteile einer rechteckigen Box

Die Grafik im Ganzen zeigt einen rechteckigen Kasten, wie er als HTML-Element generiert wird. Sie zeigt aber auch die einzelnen Bestandteile im Inneren der Box. Diese Elemente bestehen aus:

1. dem eigentlichen Inhalt wie z. B. Text und Grafik (*content*)
2. dem Innenabstand von Inhalt zum Rahmen (*padding*)
3. dem Rahmen (*border*)
4. dem Außenabstand um den Inhalt herum (*margin*)

Die einzelnen Eigenschaften, auf die durch CSS-Befehle Einfluss genommen werden kann, finden Sie in der nachfolgenden Grafik. Anschließend werden wir die Eigenschaften im Detail besprechen.

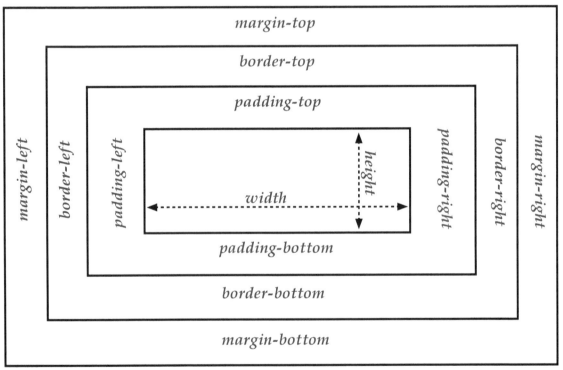

Abb. 12: Das Box-Modell mit den möglichen Eigenschaften

Inhalt (*content*)

Die Größe des innersten Bereichs kann von unterschiedlichen Faktoren abhängen: Wenn keine Angaben zur Breite (*width*) und Höhe (*height*) gemacht sind, bestimmt der Inhalt selbst die Größe. Ferner können auch Eigenschaften wie Vorder- und Hintergrundfarben zugewiesen werden. Schauen Sie sich zur Verdeutlichung nachfolgenden Quelltext an:

```
<p style="background-color: silver;">
Ein Inhalt mit Hintergrundfarbe aber ohne Angabe von Breite und Höhe.
</p>
<p style="background-color: silver; width:275px; height:125px;">
Ein Inhalt mit Hintergrundfarbe und Angabe von Breite und Höhe.
</p>
```

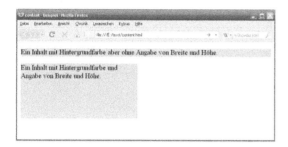

Abb. 13: Die Eigenschaft content ohne und mit Angaben zur Breite und Höhe

Innenabstand (*padding*)

Mit der Eigenschaft padding wird der Innenabstand aller vier Seiten einer Box angegeben. Der Innenabstand ist der Zwischenraum zwischen dem Rahmen (*border*) und dem Inhalt (*width / height*). Häufig wird er auch als Polsterung bezeichnet. Die Standardeinstellung für *padding* ist null. Wird also kein Wert größer als null definiert, liegen die Ränder des *padding*-Bereiches deckend auf den Rändern des *content*-Bereiches. Der padding-Bereich ist immer Teil des Inhaltsbereichs, er übernimmt also jede Farbzuweisung, die Sie für den eigentlichen Inhalt definiert haben.

Die Innenabstände lassen sich auf zwei Arten definieren: zum einen durch die einfache Angabe von *padding*, welche einen gleichmäßigen Abstand an allen vier Seiten des Inhalts erzeugt. Zum anderen kann man mit *padding-left, padding-right, padding-top* und *padding-bottom* für jede Seite einen eigenen Wert angeben.

```
<p style="background-color: silver; padding: 25px;">
Ein Inhalt mit Hintergrundfarbe,
ohne Angabe von Breite und Höhe und
einem gleichmäßigen Innenabstand von 25 Pixel.
</p>
<p style="background-color: silver; padding-left: 45px; padding-top: 25px;">
Ein Inhalt mit Hintergrundfarbe,
ohne Angabe von Breite und Höhe und
einem Innenabstand von links 45 und oben von 25 Pixel.
</p>
<p style="background-color: silver; width: 225px; height: 125px; padding: 25px;">
Ein Inhalt mit Hintergrundfarbe,
Angabe von Breite und Höhe und
einem Innenabstand von 25 Pixel.
</p>
```

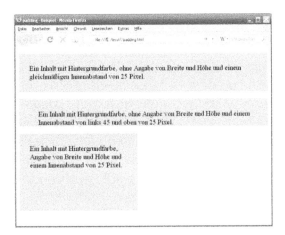

Abb. 14: Drei Beispiele für die Eigenschaft padding

Rahmen (*border*)

Der Rahmen, der den Innen- vom Außenrand voneinander trennt, besitzt die Eigenschaften:

- Breite (*border-width*)
- Stil (*border-style*)
- Farbe (*border-color*).

Auch hier lässt sich für jede dieser Eigenschaften mittels *border-left*, *border-right*, *border-top* und *border-bottom* für jede der vier Seiten ein eigener Wert angeben. Wird nur *border* angegeben, wird ein Rahmen mit gleicher Breite, Stil und Farbe auf allen vier Seiten des HTML-Elements festgelegt.

Die **Breite** der Umrandung wird mit der Eigenschaft *border-width* eingestellt. Diese kann die Werte *thin* (dünn), *medium* (mittel) und *thick* (dick) oder einen numerischen Wert in Pixeln annehmen. Um eine möglichst problemlose Darstellung in allen Browsern zu erreichen, sollten Pixelangaben verwendet werden.

Mit border-style kann der **Stil** des kompletten Rahmens definiert werden.

none   = kein Rahmen
hidden = kein Rahmen (auch von Nachbarelementen)
dotted = gepunkteter Rahmen
dashed = gestrichelter Rahmen
solid   = durchgehender Rahmen
double = doppelt durchgehender Rahmen
groove = Sieht aus, als wäre der Rahmen in die Zeichenfläche eingemeißelt
       (3-D-Effekt)
ridge   = Sieht aus, als käme der Rahmen aus der Zeichenfläche hervor (3-D-Effekt)
inset   = Rahmen bewirkt, dass die gesamte Box aussieht, als wäre sie in die
       Zeichen*fläche* eingebettet (3-D-Effekt)
outset = Rahmen bewirkt, dass die gesamte Box aussieht, als käme sie aus der
       Zeichenfläche heraus (3-D-Effekt)

Die 3-D-Effekte funktionieren nur richtig, wenn Sie eine Farbe angeben, die sich von Schwarz unterscheidet und eine gewisse Rahmendicke besitzt. **Schauen Sie sich zur Verdeutlichung bitte die Datei „box-modell_border-style.html" im Leserbereich an!**

Mit *border-color* kann dem Rahmen eine **Farbe** durch Angabe eines Farbnamens oder durch Angabe der RGB-Werte zugewiesen werden.

Zur Verdeutlichung kombinieren wir abschließend alle drei Eigenschaften. **Öffnen Sie hierfür bitte die Datei "box-modell_border-style_kombiniert.html" im Leserbereich!**

Außenabstand (*margin*)

Mit der Eigenschaft *margin* wird der Außenabstand aller vier Seiten einer Box zu seinen Nachbarn angegeben. Die Standardeinstellung für *margin* ist null. Auch diese Eigenschaft lässt sich wahlweise gleichmäßig für alle vier Seiten durch die schlichte Angabe von *margin* oder mittels *margin-left, margin-right, margin-top* und *margin-*

bottom für jede Seite getrennt angeben. Die durch margin bestimmten Außenabstände sind stets transparent, d. h., sie übernehmen eventuell definierte Farbwerte des übergeordneten Elements (z. B. die vom *body*). Beispiel:

```
<p style="margin: 0px; background-color: silver;">
Ein Inhalt mit Hintergrundfarbe und ohne Außenabstand.
</p>
<p style="margin: 25px; background-color: silver;">
Ein Inhalt mit Hintergrundfarbe und mit einem gleichmäßigen Außenabstand von 25
Pixel.
</p>
```

Abb. 15: Die Eigen-schaft margin ohne und mit Angabe eines Außenabstandes

Die Abmessungen einer Box berechnen

Beim Layout einer Website ist es oftmals notwendig, den konkreten Platzbedarf einer Box zu berechnen. Legen wir als Beispiel folgende Box zugrunde:

```
<div style="width: 60px;
padding: 20px;
border: 1px;
margin: 10px;">
</div>
```

Wichtig ist zunächst, dass Sie die Gesamthöhe und -breite nicht mit *width* und *height* aus dem Content verwechseln, da sie lediglich die Höhe und Breite des Inhaltsbereiches definieren. Vielmehr setzt sich die Breite aus *width*, *padding*, *border* und *margin* zusammen:

Grundsätzliche Berechnung	Anwendung auf unser Beispiel
width **(des Inhalts!)** + padding-left + padding-right + border-left + border-right + margin-left + margin-right	60px + 20px + 20px + 1px + 1px + 10px + 10px
= Die gesamte Breite der Box	= 122px

Insgesamt benötigt dieses Element somit einen Platz mit der Breite von 122 Pixeln und nicht nur die 60 Pixel, die Sie als *width* festgelegt haben.

Analog dazu setzt sich die Gesamthöhe eines Elements wie folgt zusammen:

height **(des Inhalts!)**
+ padding-top
+ padding-bottom
+ border-top
+ border-bottom
+ margin-top
+ margin-bottom
= Die gesamte Breite der Box

Collapsing Margins

Das „margin Collapsing" ist ein Prinzip, bei dem es in der Praxis oftmals eine Menge Verwirrung gibt. Das Prinzip findet dann Anwendung, wenn zwei oder mehr **vertikale** Abstände aufeinandertreffen:

- Der vertikale Abstand zweier sich berührender, nebeneinanderstehender Boxen kann zusammenklappen bzw. kollabieren. Der vertikale Außenabstand zweier Geschwisterboxen in einem Block-Kontext wird über die Eigenschaften *„margin-top"* und *„margin-bottom"* bestimmt. Treffen solche vertikalen Abstände aufeinander, klappen sie zusammen und bilden **einen** einzelnen Abstand. Dabei ist der kollabierte Rand immer so breit **wie der breitere der beiden verschmolzenen Ränder**. Der größere Abstand verschluckt sozusagen den kleineren.

- Nur vertikale Außenabstände sich berührender, nebeneinanderstehender Boxen kollabieren. Horizontale werden ganz normal addiert.

Ein Beispiel:

```
<h1 style="margin-bottom: 30px">Überschrift</h1>
<p style="margin-top: 10px">Text.</p>
```

Hier hat die Überschrift einen unteren Abstand von 30 Pixel und der Textabsatz einen oberen Abstand von 10 Pixel. Der Abstand zwischen Überschrift und Textabsatz beträgt nun aber nicht etwa 40, sondern 30 Pixel. Warum? Der kleinere Abstand ist verschwunden, da er vom größeren verschluckt wurde.

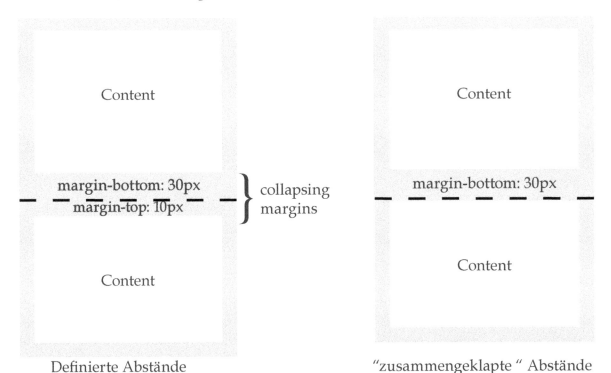

Definierte Abstände   "zusammengeklapte " Abstände

Dieses Prinzip der wegfallenden Außenabstände erscheint zunächst einmal merkwürdig. Praktisch ist es aber insbesondere, wenn mehrere Textabsätze aufeinander folgen, da sich die folgenden Abstände nicht verdoppeln.

Die browserspezifisch vordefinierten Abstände aller Elemente auf null setzen

In der Regel verwenden Browser die eigenen Vorgaben für die Werte der Eigenschaften padding und margin. Diese Werte sind in sogenannten Browser-Stylesheets hinterlegt, über die sie nähere Informationen später im Kapitel „Kaskadierung" erfahren. Beim Entwickeln eines Stylesheet hat es sich bewährt, die Werte dieser Eigenschaften zunächst ausdrücklich auf „0" zu setzen, um unerwünschte Effekte zu vermeiden. Hierfür greifen wir auf den schon bekannten Universalselektor zurück.

To-Do 14: Abstände aller Elemente auf null setzen

1. Öffnen Sie die Datei mylayout.css in Ihrem Editor und ergänzen Sie sie um folgende Regel:

```
* { padding: 0; margin: 0; }
```

2. Speichern Sie die geänderte CSS-Datei und betrachten Sie die HTML-Dateien in Ihrem Browser.

Nun sehen Sie den Universalselektor in voller Aktion: Es sind wirklich alle Abstände ausnahmslos zurückgesetzt worden, selbst die Listenelemente „kleben" nun aneinander.

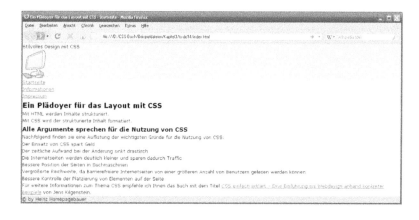

Abb. 16: Ansicht der Webseite mit den zurückgesetzen Eigenschaften padding und margin

Doch kein Grund zur Panik - die soeben absichtlich zerstörten Werte werden wir nun nachfolgend nicht nur einfach wiederherstellen, sondern die Abstände nach unseren individuellen Wünschen definieren und damit verbessern. Konkret werden wir folgenden Elementen Werte zuweisen:

- wrapper
- Innenabstand
- Rahmenlinien
- Abstände für Absätze und Listen

Dem Bereich *#wrapper* eine feste Breite zuweisen

Zunächst möchten wir erreichen, dass sich das Layout nicht mehr über die gesamte Breite des Browserfensters erstreckt. Zu diesem Zweck werden wir dem Container *#wrapper* eine Breitenangabe zuweisen.

To-Do 15: #wrapper eine feste Breite zuweisen

1. Öffnen Sie die Datei mylayout.css in Ihrem Editor und ergänzen Sie sie um folgende Regeln:

```
#wrapper {
  color: black;
  background-color: white;
  width: 60%;
}
```

2. Speichern Sie die geänderte CSS-Datei und betrachten Sie die HTML-Dateien in Ihrem Browser.

Mit der Eigenschaft *width* hat der Bereich *#wrapper* von nun an immer eine Breite von 60 % des umgebenden *body*-Elements. Natürlich stellt sich nun die Frage, was die Bezugsgröße der 60 % ist. Im CSS-Jargon spricht man bei einem prozentualen Wert von einer relativen Einheit. Das Gegenteil sind absolute Einheiten, also z. B. Pixel. Jede Einheit, die relativ angegeben wird, sucht in ihrem übergeordneten Element (Elternelement) nach einer absoluten Angabe. Ist dort keine Angabe, dann wird eine Ebene weiter darüber gesucht. Dies geht bis zum letzten Tag, dem *body*-Tag. In unserem Fall hat *body* (mangels Angabe) eine natürliche Größenausdehnung von 100 %, sodass die Gesamtbreite des Layouts 60 % der Fensterbreite beträgt. Der Rest wird an der rechten Seite als Rand angezeigt. Im nächsten Schritt werden wir die Symmetrie zur Mitte der Seite sowie nach oben und unten korrigieren.

Dem Bereich *#wrapper* zentrieren

Folgende Ziele möchten wir erreichen: Zum einen sollen die Außenabstände (*margin*) für links und rechts mittig ausgerichtet werden, zum anderen soll oben und unten ein kleiner Außenrand hinzugefügt werden.

To-Do 16: #wrapper zentrieren

1. Öffnen Sie die Datei mylayout.css in Ihrem Editor und ergänzen Sie sie um folgende Regeln:

```
#wrapper {
  color: black;
  background-color: white;
  width: 60%;
  margin-top: 15px;
  margin-right: auto;
  margin-bottom: 15px;
  margin-left: auto;
}
```

2. Speichern Sie die geänderte CSS-Datei und betrachten Sie die HTML-Dateien in Ihrem Browser.

Da es keinen direkten Befehl gibt, um die Abstände mittig zu platzieren, wird in solchen Fällen mit dem Befehl *auto* gearbeitet. Er bewirkt, dass die vorhandenen Außenabstände gleichmäßig verteilt und damit im Ergebnis mittig ausgerichtet werden. Der obere und untere Außenrand ist mit einer Größe von 15 Pixeln so gewählt, dass er sich vom Rand des Browserfensters dezent absetzt. Natürlich ist die Größe des Abstands reine Geschmackssache.

Abstände für Listen definieren

Optisch störend wirken nun vor allem die nicht eingerückten Listenpunkte. Definieren wir nun für alle ungeordneten (unnummerierten) Listenelemente einen Abstand nach links. Üblich und optisch empfehlenswert ist es auch, das Ende einer Liste durch einen extra Abstand vom übrigen Text zu trennen. Deswegen werden wir neben einem Außenabstand nach links auch einen Außenabstand nach unten definieren. Doch Vorsicht, ungeordnete Listenelemente bestehen aus *li*-Tags für die Listeneinträge und *ul*-Tags für die Kapselung. Wir müssen hier also differenzieren und zwei Regeln erstellen. Ferner müssen die Listenpunkte der untergeordneten Liste mit formatiert werden.

To-Do 17: Abstände für Listen definieren

1. Öffnen Sie die Datei mylayout.css in Ihrem Editor und ergänzen Sie sie am Ende um folgende Regeln:

```
ul {
  margin-top: 0 ;
  margin-right: 0 ;
  margin-bottom: 1em ;
  margin-left: 0;
}
ul ul {
  margin: 0;
}
li {
  margin-top: 0 ;
  margin-right: 0;
  margin-bottom: 0;
  margin-left: 1em;
}
```

2. Speichern Sie die geänderte CSS-Datei und betrachten Sie die HTML-Dateien in Ihrem Browser.

Innenabstände definieren

Immer noch wirkt das Erscheinungsbild so, als ob alles ein wenig „aneinanderklebt". Das wollen wir nun endgültig entzerren. Wir beginnen der Einfachheit halber mit der Fußzeile. Zunächst fügen wir einen Innenabstand hinzu.

To-Do 18: Innenabstände für die Fußzeile definieren

1. Öffnen Sie die Datei mylayout.css in Ihrem Editor und ergänzen Sie sie am Ende um folgende Regeln:

```
#fusszeile {
  color: black;
  background-color: aqua;
  padding-top: 10px;
  padding-bottom: 5px;
}
```

2. Speichern Sie die geänderte CSS-Datei und betrachten Sie die HTML-Dateien in
   Ihrem Browser.

Da das Prinzip jetzt klar sein sollte, definieren wir jetzt die Innenabstände für die
Kopfzeile, die Navigation und den Textbereich in einem Rutsch.

To-Do 19: Innenabstände für Kopfzeile, Navigation und Textbereich definieren
1. Öffnen Sie die Datei mylayout.css in Ihrem Editor und ergänzen Sie sie am Ende
   um folgende Regeln:

```
#kopfzeile {
  color: black;
  background-color: yellow;
  padding-top: 10px;
  padding-bottom: 5px;
}
#navigation {
  padding-top: 10px ;
  padding-right: 20px;
  padding-bottom: 5px;
  padding-left: 20px;
}
#textbereich {
  padding: 20px ;
}
```

2. Speichern Sie die geänderte CSS-Datei und betrachten Sie die HTML-Dateien in
   Ihrem Browser.

Durch die eingefügten Innenabstände wirkt das Layout schon ein ganzes Stück ent-
zerrt. Störend ist noch, dass hinter den Absätzen kein Abstand nach unten folgt. Das
ändern wir nachfolgend, indem wir einfach die bereits vorhandene Regel für die ge-

kapselten Listenelemente aufgreifen.

To-Do 20: Abstände für Absätze definieren

1. Öffnen Sie die Datei mylayout.css in Ihrem Editor und ergänzen Sie sie am Ende um folgende Regeln:

```
p, ul {
  margin-top: 0 ;
  margin-right: 0 ;
  margin-bottom: 1em ;
  margin-left: 0;
```

2. Speichern Sie die geänderte CSS-Datei und betrachten Sie die HTML-Dateien in Ihrem Browser.

Einen Rahmen hinzufügen

Als nächsten Schritt fügen wir einen Rahmen für *#wrapper* hinzu, wobei wir die Farbe hierfür als RGB-Wert (siehe S. 44) bestimmen.

To-Do 21: Einen Rahmen hinzufügen

1. Öffnen Sie die Datei mylayout.css in Ihrem Editor und ergänzen Sie sie am Ende um folgende Regeln:

```
#wrapper {
  color: black;
  background-color: white;
  width: 60%;
  border: 2px solid #b79348;
  margin-top: 15px;
  margin-right: auto;
  margin-bottom: 15px;
  margin-left: auto;
}
```

2. Speichern Sie die geänderte CSS-Datei und betrachten Sie die HTML-Dateien in Ihrem Browser.

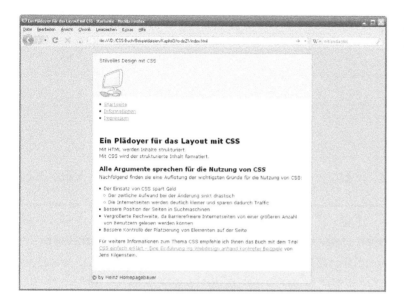

Abb. 17: Im Vergleich zum To-Do 14 wirkt das To-Do 21 optisch deutlich ansprechender

Ausrichtung von Text: *text-align*

Die Eigenschaft *text-align* beschreibt die horizontale Ausrichtung von Text und anderen Inline-Inhalten in einem Block-Element. Folgende Angaben sind möglich:

- *left* = linksbündig ausrichten
- *right* = rechtsbündig ausrichten
- *center* = zentriert ausrichten
- *justify* = als Blocksatz ausrichten (es erfolgt keine kontrollierte Silbentrennung)

Wir werden diese Eigenschaft jetzt verwenden, um die Copyright-Angabe in der Fußzeile mittig auszurichten.

To-Do 22: Die Copyright-Angabe zentrieren
1. Öffnen Sie die Datei mylayout.css in Ihrem Editor und ergänzen Sie sie am Ende um folgende Regeln:

```
#fusszeile {
  color: black;
  background-color: aqua;
  text-align: center;
  padding-top: 10px;
  padding-bottom: 5px;
}
```

2. Speichern Sie die geänderte CSS-Datei und betrachten Sie die HTML-Dateien in Ihrem Browser.

Schriftgröße und Zeichenabstand (*letter-spacing*) der Überschriften anpassen

Als Nächstes werden wir die Schriftgröße für die Überschriften erster und zweiter Gliederungsebene so anpassen, dass ihre Größenverhältnisse besser in das Gesamtlayout passen. Zusätzlich werden wir mit der Eigenschaft *letter-spacing* den Abstand zwischen den Schriftzeichen modifizieren.

To-Do 23: Schriftgröße der Überschriften anpassen
1. Öffnen Sie die Datei mylayout.css in Ihrem Editor und ergänzen Sie sie am Ende um folgende Regel:

```
#textbereich h1 {
font-size: 145%;
letter-spacing: 1pt;
}
#textbereich h2 {
font-size: 125%;
letter-spacing: 1pt;
}
```

2. Speichern Sie die geänderte CSS-Datei und betrachten Sie die HTML-Dateien in Ihrem Browser.

Hintergrundbilder und Farbverläufe

Häufig werden auf Websites Hintergrundbilder und Farbverläufe als Gestaltungsmittel eingesetzt. Grundlage für diese Techniken ist die CSS-Eigenschaft *background-image*, mit der einem HTML-Element ein Hintergrundbild zugewiesen wird. Testen wir einmal aus, was passiert, wenn wir mit dieser Eigenschaft die Bilddatei bg.gif einbinden (die Bilddatei finden Sie im Verzeichnis to-do24):

```
body {
  color: white;
  background-color: silver;
  background-image: url(bg.gif);
  font-family: Verdana, Arial, Helvetica, sans-serif;
  font-size: 0.8em;
  line-height: 1.5;
}
```

Abb. 18: Das Hintergrundbild wird endlos wiederholt

Interessanterweise wird die Bilddatei endlos wiederholt. Dies ist die Standardeinstellung und kann wiederum mit der Eigenschaft background-repeat gesteuert werden, für die es folgende Werte gibt:

- *repeat* = wiederholen (Voreinstellung).
- *repeat-x* = nur eine Zeile lang endlos waagerecht (horizontal) wiederholen
- *repeat-y* = nur eine Spalte lang endlos senkrecht (vertikal) wiederholen
- *no-repeat*= nicht wiederholen, nur als Einzelbild anzeigen

Möchten wir erreichen, dass die Bilddatei nur einmal angezeigt wird, muss der Quelltext wie folgt ergänzt werden:

```
body {
  color: white;
  background-color: silver;
  background-image: url(bg.gif);
  background-repeat: repeat-x;
  font-family: Verdana, Arial, Helvetica, sans-serif;
  font-size: 0.8em;
  line-height: 1.5;
}
```

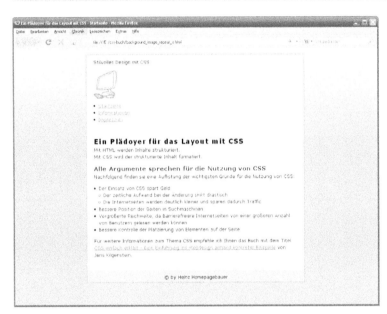

Abb. 19: Durch die Eigenschaft repeat-x wird das Hintergrundbild einzeilig endlos wiederholt

In der jetzigen Einstellung scrollt das Hintergrundbild mit dem Browserfenster mit herunter, da dies die Standardeinstellung ist. Möchte man erreichen, dass das Hintergrundbild nicht mitgescrollt wird und stehen bleibt, erreicht man dies mit folgender Anweisung:

```
body {
  color: white;
  background-color: silver;
  background-image: url(bg.gif);
  background-repeat: repeat-x;
  background-attachment: fixed;
  font-family: Verdana, Arial, Helvetica, sans-serif;
  font-size: 0.8em;
  line-height: 1.5;
}
```

Die Einbindung von Farbverläufen funktioniert nach folgendem Prinzip: Man erstellt ein Bild mit einem Farbverlauf, z. B. von white (oben) nach silver (unten) in Verbindung mit dem Wert *repeat-x*. Das Bild kann in der Breite sehr schmal sein (z. B. 10 Pixel), da es ja horizontal endlos wiederholt wird. Die Höhe ist davon abhängig, wie „lang gezogen" der Farbverlauf sein soll, also ob er z. B. über die gesamte sichtbare Vertikale gehen soll oder nur bis zur Hälfte. Bedenken muss man allerdings, dass die Betrachter der Webseite unterschiedliche Monitorgrößen und Auflösungen verwenden und die Länge des Contents. So hat ein Besucher vielleicht einen Monitor mit 15 Zoll, ein anderer 23 Zoll, und eine Seite hat mehr Inhalt als die andere. Damit es nicht stört, falls die Website größer wird als das Hintergrundbild, nimmt man einfach die Hintergrundfarbe entsprechend dem Ende des Bildes (Farbverlaufes) in Verbindung mit der Eigenschaft *background-color*. In unserem Beispiel nehmen wir also die Farbe *silver*, die am unteren Ende des Bildes nahtlos übernimmt. Die Beispieldatei, die wir hierfür verwenden (bg.gif), ist lediglich 180 Pixel hoch, um einen farblichen Gegenakzent bis zur Höhe der Kopfzeile zu setzen.

To-Do 24: Eine Hintergrundgrafik mit Farbverlauf hinzufügen
1. Öffnen Sie die Datei mylayout.css in Ihrem Editor und ergänzen Sie sie am Ende um folgende Regeln:

```
body {
  color: white;
  background-color: silver;
  background-image: url(bg.gif);
  background-repeat: repeat-x;
  font-family: Verdana, Arial, Helvetica, sans-serif;
  font-size: 0.8em;
  line-height: 1.5;
}
```

2. Speichern Sie die geänderte CSS-Datei und betrachten Sie die HTML-Dateien in Ihrem Browser.

Ändern Sie zur Verdeutlichung testweise die Hintergrundfarbe, auf z. B. Rot (*background-color: red*). Spätestens jetzt sollte der Verständnisgroschen gefallen sein.

Gestaltung von Hyperlinks

Hyperlinks können vier verschiedene Zustände annehmen. Korrespondierend bietet CSS für jeden dieser Zustände vier Pseudo-Klassen. Über diese kann man jedem Zustand einen eigenen Textstil zuweisen.

Pseudo-Klasse	Zustand des Hyperlinks
a:link	Link wurde noch nicht angeklickt
a:visited	Link wurde bereits angeklickt
a:hover	Mauszeiger befindet sich über Link
a:active	Link, während er angeklickt wird

Möchte man das Aussehen der Hyperlinks modifizieren, können alle uns bekannten CSS-Methoden zur Textgestaltung verwendet werden. Das werden wir nun nachfolgend für alle vier Zustände anwenden.

To-Do 25: Hyperlinks gestalten
1. Öffnen Sie die Datei mylayout.css in Ihrem Editor und ergänzen Sie sie am Ende um folgende Regeln:

```
a:link { color: fuchsia; }
a:visited { color: maroon }
a:hover { background-color: #ffeda0; }
a:active { color: white; background-color: red; }
```

2. Speichern Sie die geänderte CSS-Datei und betrachten Sie die HTML-Dateien in Ihrem Browser.

Achtung, Sie müssen zwingend die Reihenfolge link, visited, hover und active einhalten, da sich ansonsten die Regeln gegenseitig aufheben können!

Möchten Sie die standardmäßig vorgegebene Unterstreichung der Links für alle vier Zustände entfernen, erreichen Sie dies, indem Sie der Eigenschaft *text-decoration* den Wert *none* zuweisen, wie bei nachfolgender Stilregel.

```
a { text-decoration: none; }
```

Navigationsmenüs

Die Navigation zwischen den einzelnen Seiten wird bisher mit einer einfachen HTML-Liste bewerkstelligt. Nachfolgend werden wir mit CSS optisch ansprechende vertikale und horizontale Navigationsmenüs entwickeln.

Vertikale Navigationsmenüs

Als ersten Schritt entfernen wir die bei ungeordneten Listen standardmäßig dargestellten Gliederungspunkte. Um das zu erreichen, gibt es die Eigenschaft *list-style-type*, deren Wert wir auf *none* setzen. Da sich die Änderung nur auf die Listenelemente im Navigationsbereich beziehen soll, erstellen wir einen verschachtelten Selektor *#navigation li*.

```
#navigation li {
  list-style-type: none;
}
```

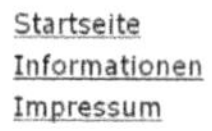

Startseite
Informationen
Impressum

Abb. 20: Entfernete Gliederungspunkte

Automatische Unterstreichung entfernen: Hierfür greifen wir auf die im letzten Kapitel eingeführte Eigenschaft *text-decoration* zurück und setzen den Wert auf *none*.

```
#navigation a { text-decoration: none; }
```

Startseite
Informationen
Impressum

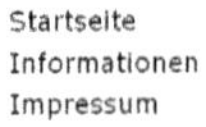

*Abb. 21: Entfernte
Unterstreichung*

Jetzt werden wir Vorder- und Hintergrundfarbe hinzufügen, einen Rahmen definieren und eine Breitenangabe machen. Damit das gesamte rechteckige Menüfeld einfärbt, verwandeln wir die Links mithilfe der Eigenschaft *display: block* einfach in Blockelemente. Im Umkehrschluss kann man mit *diplay: inline* ein Blockelement in ein Inlineelement umwandeln.

```
#navigation a {
text-decoration: none;
color: blue;
background-color: yellow;
border-width: 1px;
border-style: solid;
border-color: red;
width: 130px;
display: block;
}
```

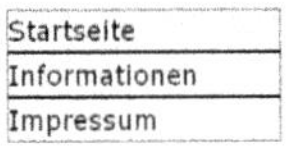

Startseite
Informationen
Impressum

*Abb. 22: Navigation
als Blockelemnt*

Als Nächstes werden wir mit *font-weight: bold* die Strichstärke definieren. Gleichzeitig werden wir die Schriftgröße festlegen sowie Innen- und Außenabstand hinzufügen.

```
#navigation a {
text-decoration: none;
color: blue;
background-color: yellow;
border-width: 1px;
border-style: solid;
border-color: red;
width: 130px;
display: block;
font-weight: bold;
font-size: 13px;
padding-left: 5px;
}
#navigation li {
  list-style-type: none;
  margin-bottom: 3px;
  padding: 2px;
}
```

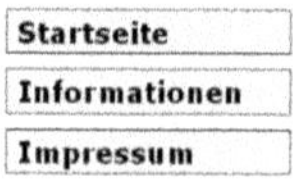

Startseite
Informationen
Impressum

*Abb. 23: Navigation
mit Abständen*

Jetzt fehlt nur noch der Rollover-Effekt, wenn sich der Mauszeiger über dem Menü befindet.

```
#navigation a:hover {
color: white;
background-color: red;
}
```

Sehr häufig anzutreffen ist auch die Menüvariante ohne Rahmen. Wir entfernen einfach den Rahmen und fügen zur Verdeutlichung eine Hintergrundfarbe für *#navigation* hinzu.

```
#navigation {
  padding-top: 10px ;
  padding-right: 20px;
  padding-bottom: 5px;
  padding-left: 20px;
  background-color: gray;
}
#navigation a {
text-decoration: none;
color: blue;
background-color: yellow;
width: 130px;
display: block;
font-weight: bold;
font-size: 13px;
padding-left: 5px;
}
```

Eigentlich sind die beiden Varianten des Navigationsmenüs fertig und einsatzbereit. Auf unserer bisher entwickelten einspaltigen Beispielseite passt ein vertikales Navigationsmenü optisch allerdings nicht wirklich. Sinnvoll ist es dagegen vor allem bei mehrspaltigen Layouts. Da wir im Laufe dieses Buches später auch mehrspaltige Layouts entwickeln, werden wir dann auf die vertikale Variante zurückgreifen. Zunächst einmal werden wir jedoch unseren Einspalter mit einem horizontalen Navigationsmenü komplettieren.

Horizontale Navigationsmenüs

Für unser horizontales Navigationsmenü greifen wir auf den gerade entwickelten Quelltext zurück. Doch wie lässt sich das Menü horizontal anordnen? Das geschieht, indem wir die Listenelemente mit *display: inline* in Inlineelemente umwandeln und dadurch nebeneinanderstellen. Gleichzeitig müssen wir die Eigenschaft *display: block* für den Selektor *#navigation a* entfernen. Ferner kann die Anweisung *list-style-type: none* entfernt werden, da Gliederungspunkte in inline deklarierten Listen grundsätzlich nicht angezeigt werden. Die Breitenangabe und der Innen- und Außenabstand der Listenelemente werden auch gleich mitentfernt.

```
}
#navigation a {
text-decoration: none;
color: blue;
background-color: yellow;
font-weight: bold;
font-size: 13px;
padding-left: 5px;
}
#navigation li {
  display: inline;
}
```

Abb. 24: Horizontales Navigationsmenü mit display:inline

Jetzt erstellen wir wiederum eine Variante mit Rahmen. Die Werte für den Rahmen verwenden wir aus dem obigen (vertikalen) Beispiel. Außerdem verändern wir den Innenabstand.

```
#navigation a {
text-decoration: none;
color: blue;
background-color: yellow;
font-weight: bold;
font-size: 13px;
padding: 3px;
border-width: 1px;
border-style: solid;
border-color: red;
}
```

Abb. 25: Navigation mit Rahmen und Innenabstand

Horizontales Menü mit Karteireitern

Häufig auf Webseiten anzutreffen ist die optisch sehr ansprechende Menüführung mit sogenannten Karteireitern. In dem nachfolgenden To-Do werden wir für unsere Beispielseite ein horizontales Menü mit Karteireitern entwickeln. Dabei werden wir zum größten Teil auf bereits in diesem Kapitel verwendete Regeln zurückgreifen können. Diese werden nicht weiter erläutert, nur neue Aspekte werden thematisiert.

Als ersten Schritt vergeben wir für *#navigation* die identische Hintergrundfarbe wie für *#kopfzeile*, um eine optische Einheit zu erreichen. Für die horizontale Anordnung des Navigationsmenüs wandeln wir die Listenelemente mit *display: inline* in Inlineelemente um. Die Basis unserer Karteireiter bildet eine Grundlinie, die wir mit *border-bottom* erzeugen. Zusätzlich optimieren wir noch die Innen- und Außenabstände der beiden Bereiche.

To-Do 26: Ein horizontales Menü mit Karteireitern gestalten (Teil 1)
1. Öffnen Sie die Datei mylayout.css in Ihrem Editor und ergänzen Sie sie am Ende um folgende Regeln:

```
#navigation {
  color: black;
  background-color: yellow;
  padding-top: 10px ;
  padding-right: 0px;
  padding-bottom: 3px;
  padding-left: 20px;
  border-bottom-width: 2px;
  border-bottom-style: solid;
  border-bottom-color: gray;
}
#navigation ul {
  margin-bottom: 0;
}
#navigation li {
  display: inline;
  margin: 0;
}
```

2. Speichern Sie die geänderte CSS-Datei und betrachten Sie die HTML-Dateien in Ihrem Browser.

Jetzt definieren wir für die Hyperlinks Rahmen, die sich optisch mit der Grundlinie verbinden und dadurch wie echte Karteireiter aussehen. Gleichzeitig entfernen wir die automatische Unterstreichung, vergeben eine Hintergrundfarbe und optimieren die Innenabstände. Außerdem implementieren wir zwei einfache Rollover-Effekte.

To-Do 27: Ein horizontales Menü mit Karteireitern gestalten (Teil 2)
1. Öffnen Sie die Datei mylayout.css in Ihrem Editor und ergänzen Sie sie am Ende um folgende Regeln:

```
#navigation a {
  color: black;
  background-color: #f3ffb1;
  text-decoration: none;
  padding-top: 4px;
  padding-right: 10px;
  padding-bottom: 4px;
  padding-left: 10px;
  border-width: 2px;
  border-style: solid;
  border-color: gray;
}
#navigation a:hover {
  color: black;
  background-color: white;
}
#navigation a:active {
  color: black;
  background-color: red;
}
```

2. Speichern Sie die geänderte CSS-Datei und betrachten Sie die HTML-Dateien in Ihrem Browser.

Abb. 26: Horizontales Menü mit Karteirei-tern

Den aktuellen Navigationspunkt hervorheben

Um dem Besucher die Orientierung zu erleichtern, ist es sinnvoll, die aktuelle Position innerhalb des Navigationsmenüs hervorzuheben. Doch wie lässt sich das mit bloßen CSS realisieren?

Das Geheimnis liegt darin, zum einen

- jeder Unterseite im Body eine individuelle zuzuweisen und zum anderen
- jedem Verweis in der Navigation ebenfalls eine separate ID zuzuweisen.

Diese beiden Aufgaben haben wir bereits bei der Erstellung des HTML-Quelltextes erledigt:

HTML-IDs für *body*	HTML-IDs für die Navigation
<body id="startseite">	*<li id="navi01">*
<body id="informationen">	*<li id="navi02">*
<body id="impressum">	*<li id="navi03">*

Die zwei korrespondierenden IDs werden nun jeweils als Paar kombiniert, und zwar in dieser Syntax:

```
#startseite #navi01
#informationen #navi02
#impressum #navi03
```

Für diese Selektoren erstellen wir jetzt eine Deklaration mit weißem Hintergrund und weißem *border-bottom,* um den optischen Bruch in der Grundlinie zu erreichen. Gleichzeitig soll die Schrift des aktuellen Menüpunktes kursiv dargestellt werden.

To-Do 28: Den aktuellen Navigationspunkt hervorheben
1. Öffnen Sie die Datei mylayout.css in Ihrem Editor und ergänzen Sie sie am Ende um folgende Regeln:

```
#startseite #navi01 a,
#informationen #navi02 a,
#impressum #navi03 a {
  color: black;
  background-color: white;
  border-bottom-color: white;
  font-style: italic;
}
```

2. Vergessen Sie nicht die beiden Kommata am Ende der ersten und der zweiten Zeile, speichern Sie die geänderte CSS-Datei und betrachten Sie die HTML-Dateien in Ihrem Browser.

Und was passiert nun? Nehmen wir zum Beispiel an, Sie befinden sich auf der Seite impressum.html. Hier hat Body die *ID=impressum* und somit greift die Deklaration und hebt den aktuellen Navigationspunkt hervor, denn die Kombination *#impressum #navi03 a* ist nur einmalig vorhanden.

Kapitel 6:
Positionierung der Kästen

Bereits im HTML-Dokument haben wir Festlegungen über die grundsätzliche Struktur der Seite getroffen. Mithilfe von **<div>** und **<span>** (Block- und Inline-Elemente) haben wir dort „generische Behälter" für Inhalte aller Art angelegt (siehe Seite 17). Bisher haben wir in die Positionierung der rechteckigen Container, die im HTML-Dokument durch die Reihenfolge vorgegeben ist, nicht eingegriffen. Eine Änderung wäre bei unserer einspaltigen Beispielseite auch nicht wirklich sinnvoll gewesen. Bei mehrspaltigen Dokumenten stellt sich diese Frage hingegen schon bei der grundsätzlichen Anordnung: Soll z. B. die Box mit den Inhalten rechts, links oder immer in der Mitte liegen? Soll die Navigationsleiste auf der linken oder der rechten Seite zu sehen sein? Doch auch bei unserem Einspalter werden wir gleich innerhalb der Kopfzeile Bild und Text nach unseren Wünschen anordnen und damit die vorgegebene Reihenfolge verändern. Man kommt also nicht herum, sich ein Grundverständnis bezüglich der Positionierung der rechteckigen Container anzueignen, wenn man CSS ernsthaft anwenden möchte.

Die Eigenschaft *position*

Veränderungen bezüglich der Anordnung der Elemente erfolgen mithilfe der Eigenschaft *position*. Sie definiert, wo einzelne Bereiche oder Elemente auf einer Seite platziert werden sollen. Eine Positionierung von Elementen in CSS kann statisch (*static*), absolut (*absolute*), relativ (*relative*) oder fixiert (*fixed*) sein.

- *static*: Der Standardwert der Eigenschaft *position*, d. h. er gilt für jedes Element einer Seite, bis etwas anderes definiert wird. Die Elemente werden in der Reihenfolge angezeigt, in der sie im HTML-Code vorkommen.
- *relative*: Hiermit wird die Position relativ zu der Position angegeben, die das Element im normalen Textfluss gehabt hätte. Es wird also von der Position ausgegangen, an der es normalerweise wäre, wenn es die Positionierungsart *static* hätte, und von dort wird es um die angegebenen Werte verschoben.
- *absolute*: Das Element wird durch diese Positionierungsart völlig unabhängig von den restlichen Elementen auf der Seite.
- *fixed*: Entspricht der Angabe *absolute*, nur bleibt das Element beim Scrollen stehen.

Der ganz normale Fluss der Elemente (*position: static*)

Der Wortlaut der Eigenschaft *static* lässt vermuten, dass sich hiermit eine starre Positionierungsvorgabe erreichen lässt. Gemeint ist hiermit allerdings etwas anderes: Elemente mit *position: static* befinden sich im ganz normalen Dokumentenfluss. Sie werden in Ruhe gelassen und gerade nicht positioniert. Insofern spricht man von nicht positionierten Elementen. Doch was ist der „ganz normale Dokumentenfluss"?

Boxen im normalen Fluss gehören zu einem Formatierungskontext, der entweder „Block" oder „Inline" sein kann. Blockelemente erzeugen **immer eine neue Zeile und sind untereinander** angeordnet, Inline-Elemente erzeugen hingegen **keine neue Zeile und sind nebeneinander** angeordnet (siehe Seite 17).

Fehlen weitere Angaben, dann wird das Element immer **die gesamte Breite einnehmen und genauso hoch werden wie sein Inhalt**.

Die Positionierung eines Elements beginnt stets in der linken oberen Ecke des Anzeigefensters. Ein einzelnes Element wird also im Browserfenster **so weit wie möglich links und oben** positioniert.

Zur Verdeutlichung zwei Beispiele:

```
<body>
<p style="background-color: silver;">
Erste Box
</p>
<p style="background-color: silver;">
Zweite Box
</p>
<p style="background-color: silver;">
Dritte Box
</p>
<p style="background-color: silver;">
Vierte Box
</p>
</body>
```

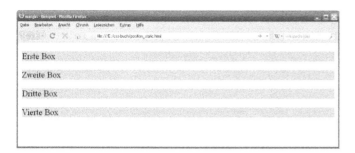

Abb. 27: Ein Element nimmt grundsätzlich die gesamte Breite ein und ist so hoch wie sein Inhalt

Da **<p>** ein Blockelement ist, stehen die Kästen jeweils untereinander in einer neuen Zeile. Und obwohl der Inhalt der Kästen lediglich aus zwei Wörtern besteht, nehmen die Kästen die gesamte verfügbare Breite (von *body*) ein. Die Höhe ist exakt so wie der Inhalt.

```
<body>
<p style="background-color: silver;">
Erste <span style="font-size:2.8em">tolle</span> Box
</p>
<p style="background-color: silver; width:275px; height:125px">
Zweite Box (width:275px; height:125px)
</p>
<p style="background-color: silver; padding: 25px;">
Dritte Box (padding: 25px)
</p>
<p style="background-color: silver;">
Vierte Box
</p>
</body>
```

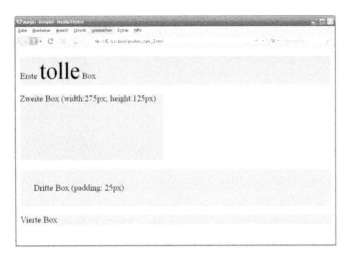

*Abb. 28: Blockele-
mente lösen immer
einen Zeilenumbruch
aus*

In den Quelltext der ersten Box wurde das Wort „tolle" eingefügt und mit **<span>**-Tags umgeben. Da **<span>**-Tags als Inlineelemente keinen Zeilenumbruch auslösen, nimmt der erste Kasten die gesamte verfügbare Breite (von *body*) ein. Die Höhe hat sich dem Inhalt angepasst. Box zwei und drei verdeutlichen, dass trotz Definitionen der Breite und Höhe bzw. des Innenabstandes der Charakter des Blockelemente unverändert geblieben ist: Sie lösen weiterhin jeweils einen Zeilenumbruch aus.

Der verschobene Fluss (*position: relative*)

Bei dieser Positionierungsart wird die Box relativ zu ihrer statischen Position verschoben. Es wird dabei von der Position ausgegangen, die das Element im normalen Textfluss (*position: static*) **gehabt hätte, und von dort wird es um die angegebenen Werte verschoben**. Relativ positionierte Elemente können andere Elemente überlappen.

Bei einer relativen Verschiebung **wird die Normalposition des Elements freigehalten** d. h., es hinterlässt einen leeren Platz. Die nachfolgenden Elemente kümmern sich nicht um das verschobene Element, sondern tun so, als sei es ganz normal (*position: static*) vorhanden und positioniert.

Eine Verschiebung erfolgt über die Eigenschaften *left*, *right*, *top*, *bottom* mit einer relativen (z. B. prozentualen) oder absoluten (z. B. Pixel) Maßangabe.

Zur Verdeutlichung greifen wir noch einmal auf den Quellcode des letzten Beispiels zurück, ergänzen ihn allerdings um eine relative Positionierungsangabe bei der zweiten Box:

```
<body>
<p style="background-color: silver;">
Erste <span style="font-size:2.8em">tolle</span> Box
</p>
<p style="background-color: silver; width:275px; height:125px;
  position: relative; top: 99px; left: 70px;">
Zweite Box (width:275px; height:125px)
</p>
<p style="background-color: silver; padding: 25px;">
Dritte Box (padding: 25px)
</p>
<p style="background-color: silver;">
Vierte Box
</p>
</body>
```

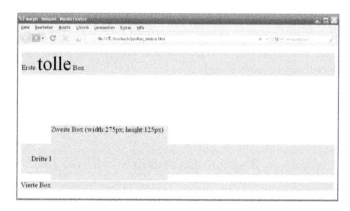

Abb. 29: Die Normalposition der zweiten Box wird freigehalten

Die erste, dritte und vierte Box haben sich nicht im Geringsten verändert, da die Normalposition der zweiten Box freigehalten wird. Von dieser freigehaltenen Normalposition wird nun die neue Position berechnet: *top: 99px* drückt die Box nach unten, da an der Normalposition der Box oben 99 Pixel eingefügt werden. *left: 70px* schiebt die Box hingegen nach rechts, da an der Normalposition links 70 Pixel eingefügt werden. Hierdurch kommt es zu einer Überlappung mit der dritten Box.

Dieses Beispiel verdeutlicht den zum Verständnis notwendigen Mechanismus: Die angegebenen Werte geben **nicht** an, in welche Richtung die Box geschoben wird, **sondern wo der Wert eingefügt wird**!

85

Der herausgelöste Fluss (*position: absolute*)

Absolut positionierte Elemente sind **vollständig aus dem normalen Textfluss herausgelöst**, d. h., sie hinterlassen keinen leeren Platz. Sie liegen **über allen anderen Elementen und haben daher keinen Einfluss auf nachfolgende oder benachbarte Elemente und deren Position im Layout**. Die Box interessiert sich nicht für den „Rest" der Seite und der „Rest" der Seite ignoriert die Box vollkommen. Absolut positionierte Elemente können andere Elemente überlappen.

Absolut positionierte Elemente richten sich nach dem Elternelement, daß *absolute*, *relative* oder *fixed* (dazu gleich mehr) positioniert sein **muss**. Gibt es keinen positionierten Vorfahren, erfolgt die Positionierung relativ zum obersten Element des Dokumentenbaumes, also *body*.

Bei der absoluten Positionierung kann man sich das Browserfenster als Koordinatensystem vorstellen: Jeder Container kann an beliebiger Stelle innerhalb dieses Koordinatensystems positioniert werden. Der Ursprung hat die Werte 0,0 und ist entweder die linke obere Ecke des Anzeigefensters oder - wenn das Element in ein anderes eingebettet ist - die linke obere Ecke des Elternelements. Von diesem Punkt wird immer ausgegangen, wenn ein Element absolut positioniert wird.

Die Positionierung erfolgt über die Eigenschaften *left*, *right*, *top*, *bottom* mit einer relativen (z. B. prozentualen) oder absoluten (z. B. Pixel) Maßangabe.

Wenn wir in dem Quelltext aus dem vorherigen Beispiel das Attribut *relative* durch *absolute* austauschen, passiert Folgendes:

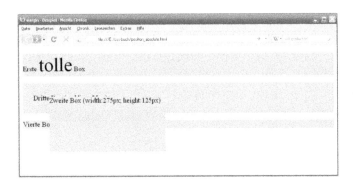

Abb. 30: Absolut positionierte Elemente sind vollständig aus dem normalen Textfluss herausgelöst (Box 2)

Die zweite Box ist vollständig aus dem normalen Textfluss herausgelöst und liegt über den anderen Elementen. Da sie ignoriert wird, schließt jetzt die erste Box an die dritte Box an. Außerdem überlappt sie die dritte und vierte Box. Ursprung für die Berechnung ist die linke obere Ecke des Anzeigefensters (*body*), da es keinen positionierten

Vorfahren gibt.

Bei unserer Beispielwebseite wollen wir nun das Bild und den Text nach rechts verschieben. Auch in der Datei mylayout.css gibt es bisher keinen positionierten Vorfahren. Die Positionierung müsste nach dem bisher Gesagten also auch relativ zu *body* erfolgen. In der Praxis kann dies allerdings Probleme bereiten, wenn zu einem späteren Zeitpunkt Änderungen innerhalb des CSS-Quelltextes vorgenommen werden. Ideal wäre es, wenn *#kopfzeile* als Elternelement und damit als Ursprung zugeordnet werden könnte. Dies lässt sich durch einen kleinen Trick erreichen: Wir definieren für *#kopfzeile* einfach *position: relative*, ordnen allerdings keine Eigenschaften und Werte zu. Nun können wir Bild und Text absolut positionieren, und *#kopfzeile* dient als Ursprung für die Berechnung.

To-Do 29: Bild und Text in der Kopfzeile positionieren

1. Öffnen Sie die Datei mylayout.css in Ihrem Editor und ergänzen Sie sie am Ende um folgende Regeln:

```
#kopfzeile {
  position: relative;
  color: black;
  background-color: yellow;
  padding-top: 10px;
  padding-right: 20px;
  padding-bottom: 0;
  padding-left: 20px;
}
#kopfzeile p {
  position: absolute;
  right: 90px;
}
#kopfzeile img {
  position: absolute;
  right: 10px;
}
```

2. Speichern Sie die geänderte CSS-Datei und betrachten Sie die HTML-Dateien in Ihrem Browser.

Abb. 31: Die Grafik logo.png ist nun über allen anderen Elementen angeordnet

Hier kann man nun sehr schön erkennen, wie das absolut positionierte Bild die anderen Divs überdeckt. Bei Überlappungen gilt übrigens die Regel, dass das Element zuoberst angezeigt wird, welches als Letztes im Quelltext steht. Diese Regel werden wir uns nun zunutze machen. Wir werden nun den Innenabstand von *#kopfzeile* so vergrößern, dass der Eindruck entsteht, der Monitorfuß ruht auf der Linie *border-bottom* von *#navigation*.

To-Do 30: Innenabstand der Kopfzeile angleichen

1. Öffnen Sie die Datei mylayout.css in Ihrem Editor und ergänzen Sie sie am Ende um folgende Regeln:

```
#kopfzeile {
  position: relative;
  color: black;
  background-color: yellow;
  padding-top: 15px;
  padding-right: 20px;
  padding-bottom: 38px;
  padding-left: 20px;
}
```

2. Speichern Sie die geänderte CSS-Datei und betrachten Sie die HTML-Dateien in Ihrem Browser.

Jetzt werden wir den Text noch etwas aufpeppen. Neben den bereits bekannten Eigenschaften verwenden wir auch die Eigenschaft *font-variant* mit dem Wert *small-caps*, wodurch eine Schriftdarstellung mit Kapitälchen erreicht wird. Kapitälchen sind Großbuchstaben, deren Höhe der Normalhöhe der Kleinbuchstaben entspricht. Gleichzeitig werden wir auch den im HTML-Dokument mithilfe von *span* als Inlineelement ausgezeichneten Textbereich gestalten, indem wir ihm einen Selektor zuordnen.

To-Do 31: Den Text innerhalb der Kopfzeile gestalten

1. Öffnen Sie die Datei mylayout.css in Ihrem Editor und ergänzen Sie sie am Ende
   um folgende Regeln:

```css
#kopfzeile p {
  position: absolute;
  right: 90px;
  font-variant: small-caps;
  font-size: 105%;
  font-weight: bold;
  color: #434242;
}
#kopfzeile p span {
  color: red;
  font-style: italic;
}
```

2. Speichern Sie die geänderte CSS-Datei und betrachten Sie die HTML-Dateien in
   Ihrem Browser.

Der herausgelöste, feststehende Fluss (*position: fixed*)

Die Eigenschaft *fixed* entspricht **bis auf eine Ausnahme** der Eigenschaft *absolute*:
Beim Scrollen bleibt das Element unverändert an gleicher Position stehen, **es scrollt
also nicht mit dem Rest der Seite mit**. Dadurch ist es insbesondere prädestiniert für
feststehende Navigationsbereiche. Dummerweise unterstützt der Internet Explorer
position: fixed bis Version 6 gar nicht und ab Version 7 nur eingeschränkt.

Die Eigenschaften *float* und *clear*

In Printmedien wie Zeitungen oder Zeitschriften sind Bild und Text häufig im Textfluss integriert. In einem HTML-Dokument integriert man mithilfe des *<img>*-Tags
ein Bild in einem Absatz (siehe Seite 26):

```
<body>
<h1>Lorem Ipsum</h1>
<p><img src="logo.png" width="80" height="80" alt="Logo" />
Lorem ipsum veniam iuvaret incorrupte in est. Convenire vituperatoribus ei vim. Oratio
fabellas conceptam pri ut, eu etiam altera fabulas vim, eius scriptorem vis ex.</p>
<p>Dicant impetus percipit has ea, veri fabellas ut eam, pro eu delectus percipitur.</p>
</body>
```

Abb. 32: <img>
bewirkt eine Integrie-
rung im normalen
Textfluss

<img> ist eine Inlineelement, erzeugt also keinen Zeilenumbruch und ist im normalen Textfluss nebeneinander angeordnet. Von einer Integration in den Textfluss kann
also keine Rede sein. Vielmehr folgt der Text dem Bild nachgelagert.

Fließende Positionierung von Elementen: die Eigenschaft *float*

Lösen lässt sich dieses Problem durch Nutzung der CSS-Eigenschaft *float*: Sie nimmt
Blockelemente aus dem normalen Fluss des Dokuments und setzt sie an die linke oder
rechte Seite des umfassenden Blocks, während der restliche Text des umfassenden
Blocks um sie herumfließt. Insofern ähneln Floats absolut positionierten Elementen.
Doch im Gegensatz zu absolut positionierten Elementen werden Floats direkt nach
dem vorausgehenden Block-Element angeordnet (genau wie nicht gefloatete Block-
Elemente). Gleichzeitig wird es von seiner Startposition bündig an den linken bzw.
rechten Rand geschoben.

Die Eigenschaft *float* kann jedem Element zugewiesen werden und kann folgende
drei Werte aufweisen: *left*, *right* oder *none*:

- *left*: Das Element wird möglichst weit links platziert und die Inhalte der nachfolgenden Elemente fließen rechts daran vorbei.
- *right*: Das Element wird möglichst weit rechts platziert und die Inhalte der nachfolgenden Elemente fließen links daran vorbei.
- *none*: Das Element wird nicht umflossen.

Durch das Floaten wird jedes Element automatisch zu einem Block-Element, dem man auch alle Eigenschaften eines Block-Elements zuweisen kann. Eine Eigenschaft, nämlich die Zuweisung einer Breite, ist dabei zwingend erforderlich, da ältere Browser das Element sonst auf die volle verfügbare Breite ausdehnen. Dies kann entweder durch Notierung der Eigenschaft *width* oder als innere Breitenangabe, wie z. B. Grafiken sie aufweisen, erfolgen. Bei schwebenden Bildern ist die Breitenangabe also im *<img>*-Tag bereits enthalten, bei schwebenden Texten muss die Breite explizit angegeben werden.

Möchten wir in unserem Beispiel das Bild nach links floaten lassen, muss der Quelltext wie folgt modifiziert werden:

```
<body>
<h1>Lorem Ipsum</h1>
<p><img src="logo.png" width="80" height="80" alt="Logo" style="float:left" />
Lorem ipsum veniam iuvaret incorrupte in est. Convenire vituperatoribus ei vim. Oratio
fabellas conceptam pri ut, eu etiam altera fabulas vim, eius scriptorem vis ex.</p>
<p>Dicant impetus percipit has ea, veri fabellas ut eam, pro eu delectus percipitur.</p>
</body>
```

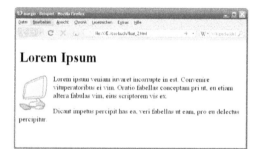

Abb. 33: Der Text fließt rechts um das Bild herum

Das gewünschte Ergebnis ist eingetreten: Das Bild ist linksbündig angeordnet. Der weitere Text fließt rechts um das Bild herum. Auf dem Weg hin zu diesem Ergebnis sind folgende Schritte passiert: Die Grafik wurde aus dem Fluss herausgenommen, zu einem Block-Element transformiert, innerhalb der umgebenden <p>-Box direkt nach dem vorausgehenden Block-Element angeordnet und bündig an den linken Rand geschoben.

So weit, so gut. Das Ganze wirkt allerdings noch ein wenig eingeengt, da der umfließende Text direkt am floatenden Element klebt. Deshalb ist es sinnvoll, als nächsten Schritt einen Abstand zwischen Text und Grafik zu definieren. Doch wie kann man den Text, der entlang des Floats fließt, davon abhalten, die Seiten des Floats zu berühren? Ein typischer Anfängerfehler ist es, zu versuchen, dem Text Polsterung (*padding*) oder Rand (*margin*) zuzuweisen. Das kann allerdings nicht funktionieren, da sich diese Eigenschaften auf die linke Seite des umfließenden Textelements beziehen, und das befindet sich **hinter dem gefloateten Element**. Um einen Abstand zum umfließenden Text zu erreichen, muss deshalb **dem floatenden Element selbst ein Rand zugewiesen werden**:

```
<body>
<h1>Lorem Ipsum</h1>
<img src="logo.png" width="80" height="80" alt="Logo" style="float:left; margin-right:80px;" />Lorem ipsum veniam iuvaret incorrupte in est. Convenire vituperatoribus ei vim. Oratio fabellas conceptam pri ut, eu etiam altera fabulas vim, eius scriptorem vis ex.</p>
<p>Dicant impetus percipit has ea, veri fabellas ut eam, pro eu delectus percipitur.</p>
</body>
```

Zur Verdeutlichung definieren wir für den umfließenden Text eine Hintergrundfarbe und fügen bei dem gefloateten Element einen Außenabstand links und oben hinzu:

```
<body>
<h1>Lorem Ipsum</h1>
<p style="background-color: silver">
<img src="logo.png" width="80" height="80" alt="Logo" style="float:left; margin-right:80px;" />Lorem ipsum veniam iuvaret incorrupte in est. Convenire vituperatoribus ei vim. Oratio fabellas conceptam pri ut, eu etiam altera fabulas vim, eius scriptorem vis ex.</p>
<p>Dicant impetus percipit has ea, veri fabellas ut eam, pro eu delectus percipitur.</p>
</body>
```

Abb. 34: Abstand zwischen der Grafik und dem umfließenden Text

Nun erkennt man ganz deutlich, dass sich das umfließende Textelement tatsächlich über die gesamte Breite des Elternelements erstreckt und nicht neben dem gefloateten Element angeordnet ist. Das Textelement umfließt die Grafik. Die Eigenschaften des umfließenden Textelements fließen nicht um die Grafik, sondern rutschen darunter. Und genau deshalb kann man den Abstand zwischen Text und Grafik nur erreichen, indem man dem floatenden Element den Rand zuweist.

Abschließend noch ein Hinweis: Normalerweise fallen Ränder aufeinander folgender Blockelemente zusammen, d. h., nur der größere der beiden Ränder wird verwendet (sog. Collapsing Margins, siehe Seite 57). Die Ränder der Floating-Boxen fallen allerdings niemals mit Rändern benachbarter Boxen zusammen.

Das Umfließen beenden: die Eigenschaft *clear*

Mit der *clear*-Eigenschaft wird das Umfließen vorheriger gefloateter Elemente beendet. *clear* kann die Werte *left*, *right* und *both* bekommen:

- *left*: beendet das Umfließen vorheriger links gefloateter Elemente.
- *right*: beendet das Umfließen vorheriger rechts gefloateter Elemente.
- *both*: beendet das Umfließen sowohl rechts als auch links gefloateter Elemente.

Wenn wir in unserem Beispiel nur den ersten Satz neben dem umflossenen Bildelement haben möchten und der folgende Text dann unterhalb des umflossenen Elements fortgesetzt werden soll, wird der Quelltext wie folgt ergänzt:

```
<body>
<h1>Lorem Ipsum</h1>
<p style="background-color: silver">
<img src="logo.png" width="80" height="80" alt="Logo" style="float:left; margin-right:80px;" />Lorem ipsum veniam iuvaret incorrupte in est. </p>
<p style="clear:left">Convenire vituperatoribus ei vim. Oratio fabellas conceptam pri ut, eu etiam altera fabulas vim, eius scriptorem vis ex.</p>
<p>Dicant impetus percipit has ea, veri fabellas ut eam, pro eu delectus percipitur.</p>
</body>
```

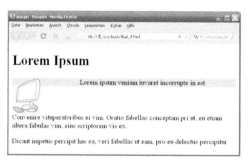

Abb. 35: Durch die Eigenschaft clear umfließt der zweite Textabsatz nicht mehr das Bild

Im Ergebnis vermeidet die *clear*-Eigenschaft, dass auch der zweite Textabsatz das Bild umfließt. Mit dem Wert *left* weisen wir ihn an, dass der Text erst an der nächsten Stelle angezeigt wird, an der sich links von ihm kein anderer Text befindet.

Stylesheet für ein Druck-Layout

Häufig möchten Anwender Inhalte einer Webseite ausdrucken. Gerade längere Texte werden lieber in Papierform gelesen und mithilfe von Textmarker und Stift markiert und kommentiert. Allerdings macht es wenig Sinn, das Webblayout als genaues Abbild eins zu eins zu übernehmen. So sind einige im Web notwendige Elemente, wie z. B. die Navigationsleiste oder eine Suchfunktion, in Papierform schlicht sinnlos. Wenn sich der Ausdruck einer Bildschirmseite auf mehrere DIN A4 Seiten verteilt, Textinhalte abgeschnitten oder unnötige Grafiken und Werbebanner mitgedruckt werden, steigert das nicht gerade den Nutzwert einer Webseite und sorgt für unzufriedene Besucher. Vermeiden lassen sich diese Probleme durch die Erstellung eines eigenen Layouts, auf das nur dann zurückgegriffen wird, wenn der Anwender tatsächlich die Webseite ausdruckt. Hierzu erstellen wir später eine zweite CSS-Datei namens printlayout.css und packen dort all jene Regeln rein, die nur beim Ausdruck Sinn machen. Zunächst werden wir allerdings die bisherige Einbindung der CSS-Datei im HTML-Dokument verändern. Wir erinnern uns kurz, im To-Do 10 hatten wir folgende Verbindung im *head* der HTML-Datei eingetragen:

```
<link rel="stylesheet" type="text/css" href="mylayout.css" />
```

Würden wir nun einfach eine zweite CSS-Datei referenzieren, wäre nicht klar, welche Datei für die Anzeige am Bildschirm und welche für den Druck verwendet werden soll. Um eine eindeutige Zuordnung zu erreichen, gibt es das Attribut *media*.

- *media=screen*: Die darin enthaltenen Definitionen gelten nur für die Anzeige auf dem Monitor.
- *media=print*: Die darin enthaltenen Definitionen gelten nur für die Ausgabe auf dem Drucker.

> **To-Do 32: Ein Stylesheet für die Druckversion anlegen und einbinden**
> 1. Öffnen Sie eine leere Datei in einem Editor (Notepad oder ein CSS-Editor Ihrer Wahl).
> 2. Erstellen Sie eine leere Datei und speichern Sie sie unter dem Namen printlayout.css ab, und zwar im selben Ordner wo auch schon Ihre HTML-Dateien liegen.
> 3. Öffnen Sie die drei bisher erstellten HTML-Dateien und fügen Sie im *head* die Verbindung zum Style Sheet mithilfe des Attributs *media* ein:
>
> ```
> <link rel="stylesheet" type="text/css" href="mylayout.css" media="screen" />
> <link rel="stylesheet" type="text/css" href="printlayout.css" media="print" />
> ```
>
> 4. Speichern Sie die geänderten HTML-Dateien ab.

Um sich die Layoutergebnisse der Datei printlayout.css anzusehen, müssen Sie die Datei übrigens nicht jedes Mal ausdrucken. Rufen Sie einfach die Druckvorschau Ihres Browsers auf, die Sie im Menü „Datei" finden. Aktuell sehen Sie dort die gänzlich ungestaltete Webseite, da das für den Ausdruck eingebundene Stylesheet printlayout.css noch komplett leer ist. Nachfolgend werden wir unser Drucklayout mit sinnvollen Regeln füllen.

Schritt 1: Ausblenden unnötiger Inhalte

Als Erstes sollte überlegt werden, welche Elemente überhaupt für die Druckversion gebraucht werden. Mittels *display:none* lassen sich sämtliche Elemente ausblenden, die auf einem Ausdruck nicht benötigt werden. Unsere bisherige Beispielseite besteht aus den Bereichen *kopfzeile*, *navigation*, *textbereich* und *fusszeile*. Unsinnig ist in jedem Fall die Navigation in ausgedruckter Form, die wir deshalb komplett ausblenden.

```
#navigation {
  display: none;
}
```

Schritt 2: Schriftformatierungen

Bereits auf Seite 46 hatten wir festgestellt, dass bei gedruckten Texten Schriften mit Serifen besser geeignet sind, da sie den Lesefluss erleichtern.

```
body {
font-family: "times new roman", times, serif;
}
```

Bei der Druckversion greifen wir auf die absolute Größe in Punkten zurück (*pt*), wobei sich *12pt* als optimale Lösung für eine gute Lesbarkeit bewährt hat. Einzelheiten zum Einsatz von relativen und absoluten Angaben hatten wir bereits ab Seite 47 erarbeitet.

```
font-size: 12pt;
```

Sinnvoll ist es ferner, als Hintergrundfarbe Weiß und als Schriftfarbe Schwarz zu definieren und den Text als Blocksatz auszurichten.

```
background-color: white;
color: black;
text-align: justify;
```

Schritt 3: Links mit URL anzeigen

Hyperlinks sind in gedruckter Form nutzlos, da man sie nicht anklicken kann. Die Zieladresse der Verlinkung sollte deshalb im Anschluss an den Link gleich mit ausgedruckt werden. Um dies zu erreichen, weisen wir den Browser mithilfe eines Pseudoelements an, die Zieladressen der Links automatisch mit auszugeben. Pseudoelemente für automatisch generierten Inhalt sind *:before* und *:after*. Hiermit kann bestimmt werden, ob vor oder nach einem Element automatisch Inhalt eingefügt wird. Hierbei kann es sich sowohl um statischen Text, Grafiken als auch variable Inhalte handeln, wie z. B. ein Hyperlink.

- *before:* Der Inhalt wird vor dem notierten Inhalt des Elements eingefügt.
- *after:* Der Inhalt wird nach dem notierten Inhalt des Elements eingefügt.
- Mit *content:* wird innerhalb der geschweiften Klammern bestimmt, was vor bzw. nach dem notierten Elmentinhalt automatisch eingefügt wird.

In der einfachsten Form sieht eine Anweisung, die die Zieladresse automatisch hinter den Link ausgibt, wie folgt aus:

Stylesheet für ein Druck-Layout

```
a[href]:after {
content:" <"attr(href)">";
}
```

Jetzt werden wir noch die Hyperlinks samt generierter Zielangabe optisch aufpeppen. Zu diesem Zweck fügen wir die im Web bei Links übliche Unterstreichung hinzu. Die Schrift setzen wir auf Fett und Grau.

```
a {
background-color: white;
color: gray;
font-weight: bold;
text-decoration: underline;
}
```

Schritt 4: Feintuning

Nachfolgend werden wir noch Kopf- und Fußzeile jeweils eine Haarlinie zuweisen und auch hier das Schriftlayout optisch aufpeppen. Außerdem blenden wir die Logo-Grafik aus, da sie in diesem Kontext keine zusätzlichen Informationen liefert. Schauen Sie sich die Änderungen im nachfolgenden To-Do an.

To-Do 33: Ein Stylesheet für die Druckversion anlegen und einbinden
1. Öffnen Sie die Datei printlayout.css in Ihrem Editor und ergänzen Sie sie am Ende um folgende Regeln:

```
#navigation, #kopfzeile img {
display: none;
}
body {
font-size: 12pt;
font-family: "times new roman", times, serif;
background-color: white;
color: black;
text-align: justify;
}
#kopfzeile p {
border-bottom: 2px;
border-bottom-style: solid;
border-bottom-color: black;
font-variant: small-caps;
font-size: 105%;
font-weight: bold;
color: #434242;
}
#kopfzeile p span {
font-style: italic;
color: gray;
}
#fusszeile {
border-top: 1px;
border-top-style: solid;
border-top-color: black;
text-align: center;
margin-top: 50px;
font-family: helvetica, sans-serif;
}
a {
background-color: white;
color: gray;
font-weight: bold;
text-decoration: underline;
}
a[href]:after {
content: " (Link auf <" attr(href) ">) ";
}
```

2. Speichern Sie die geänderte CSS-Datei und betrachten Sie die HTML-Dateien in der Druckvorschau Ihres Browsers.

Abschließend noch ein wichtiger Hinweis: In den Benutzereinstellungen der Browser kann jeder Benutzer einstellen, ob Hintergrundfarben und -bilder mitgedruckt werden sollen. Diese Option ist allerdings bei einigen Browsern standardmäßig deaktiviert und kann mit CSS nicht überschrieben werden! Wenn Sie beispielsweise auf die Idee kommen sollten, aus optischen Erwägungen einer Überschrift einen schwarzen Hintergrund mit weißer Schrift zuzuweisen, funktioniert das nur, wenn der User diese Option vorab ausdrücklich aktiviert hat. Allerdings kennen nach meiner Erfahrung 99 % der User diese Einstellung überhaupt nicht. Sie auch nicht? Dann wühlen Sie sich einmal durch die Menüpunkte:

Firefox: Datei → Seite einrichten → Hintergrund drucken
IE 6: Extras → Internetoptionen → Erweitert → Drucken → Hintergrundfarben und -bilder drucken
IE 7: Extras → Internetoptionen → Erweitert → Wird gedruckt → Hintergrunddarben und -bilder drucken
Opera: Datei → Druckoptionen → Seitenhintergrund drucken

Als Konsequenz sollten Sie deshalb im CSS-Drucklayout komplett auf Hintergrundfarben und -grafiken verzichten. Grafiken, die mit dem Element *img* im HTML-Quelltext eingebunden wurden, sind hiervon nicht betroffen und werden regulär ausgedruckt.

Tabellen gestalten

Zunächst definieren wir Abstände und Rahmen- und Farbangaben, um eine Grundoptik zu erreichen, die wir dann Schritt für Schritt verfeinern können.

To-Do 34: Abstände, Rahmen und Farben der Tabelle definieren
1. Öffnen Sie die Datei mylayout.css in Ihrem Editor und ergänzen Sie sie am Ende um folgende Regeln:

```
table {
background-color: #F3FFB1;
color: black;
border-width: 2px;
border-style: solid;
border-color: #D6D5D5;
}
th {
padding: 5px;
font-variant: small-caps;
background-color: #9DD1D1;
color: black;
border-width: 1px;
border-style: solid;
border-top-color: white;
border-right-color: gray;
border-bottom-color: gray;
border-left-color: white;
}
td {
padding: 3px;
border-width: 1px;
border-style: dashed;
border-color: #D6D5D5;
}
```

2. Speichern Sie die geänderte CSS-Datei und betrachten Sie die HTML-Dateien in Ihrem Browser.

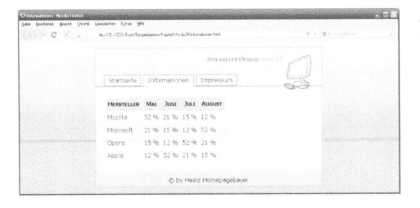

Abb. 36: Die Tabelle aus dem To-Do 34

Die in der Tabelle enthaltenen Informationen sind nun erheblich einfacher erfassbar. Störend wirken allerdings die doppelten Rahmen mit ihren Zwischenräumen. Durch die Verwendung des Wertes *collapse* für die Eigenschaft *border-collapse* lassen sich diese Leerräume zwischen den einzelnen Tabellenzellen entfernen und gleichzeitig fallen die Zellenrahmen zusammen. Im Ergebnis erhalten Sie eine Linie, die die gesamte Zeile oder Spalte überspannt.

To-Do 35: Zwischenräume zwischen den Tabellenzellen entfernen

1. Öffnen Sie die Datei mylayout.css in Ihrem Editor und ergänzen Sie sie am Ende um folgende Regeln:

```
table {
background-color: #F3FFB1;
color: black;
border-width: 2px;
border-style: solid;
border-color: #D6D5D5;
border-collapse: collapse;
}
```

2. Speichern Sie die geänderte CSS-Datei und betrachten Sie die HTML-Dateien in Ihrem Browser.

Als weitere Maßnahme zur Erhöhung der Lesbarkeit werden wir nun die Zeilen abwechselnd mit hellen und dunklen Hintergrundfarben definieren (Zebra-Tabellen). Dies erreichen wir, indem wir im HTML-Quelltext für jede zweite Tabellenzeile eine eigene Klasse namens *zebra* erstellen.

To-Do 36: Jeder zweiten Tabellenzeile eine Klasse zuweisen

1. Öffnen Sie die Datei informationen.html in Ihrem Editor und ergänzen Sie den Quelltext wie folgt:

```
<tr class="zebra">
   <td>Microsoft</td>
   <td>21 %</td>
   <td>15 %</td>
   <td>12 %</td>
   <td>52 %</td>
 </tr>
 <tr>
 <td>Opera</td>
 <td>15 %</td>
 <td>12 %</td>
 <td>52 %</td>
 <td>21 %</td>
 </tr>
 <tr class="zebra">
 <td>Apple</td>
 <td>12 %</td>
 <td>52 %</td>
 <td>21 %</td>
 <td>15 %</td>
 </tr>
```

2. Speichern Sie die geänderte HTML-Datei.

Nun definieren wir in der CSS-Datei für die Klasse *zebra* eine etwas dunklere Hintergrundfarbe.

To-Do 37: Zwischenräume zwischen den Tabellenzellen entfernen
1. Öffnen Sie die Datei mylayout.css in Ihrem Editor und ergänzen Sie sie am Ende um folgende Regeln:

```
tr.zebra {
background-color: #D5F238;
color: black;
}
```

2. Speichern Sie die geänderte CSS-Datei und betrachten Sie die HTML-Datei in Ihrem Browser.

Insbesondere bei sehr umfangreichen Tabellen kann es sinnvoll sein, weitere farbliche Abstufungen zu definieren. Öffnen Sie bitte aus dem Leserbereich den Ordner tabellenvariante und rufen dort die Datei informationen.html auf. Dort wurden exemplarisch zwei weitere Klassen eingefügt, um eine weitere farbliche Differenzierung der linken Tabellenspalte zu erreichen. Analysieren Sie bitte selbstständig jeweils die HTML- und die CSS-Quelltextdatei, um das Prinzip des Einfärbens der Zellen zu verinnerlichen.

Als optisches Highlight versehen wir nun die Tabellenzeilen mit der bereits bekannten Pseudoklasse *:hover*. Die Verwendung von *:hover* ist nämlich nicht auf die Erzeugung von Rollover-Effekten bei Hyperlinks beschränkt, sondern kann auf beliebige Elemente angewandt werden.

To-Do 38: Rollover-Effekt für bestimmte Tabellenzeilen erstellen
1. Öffnen Sie die Datei mylayout.css in Ihrem Editor und ergänzen Sie sie am Ende um folgende Regeln:

```
tr:hover {
background-color: #9cc;
color: #000;
cursor: pointer;
}
```

2. Speichern Sie die geänderte CSS-Datei und betrachten Sie die HTML-Datei in Ihrem Browser.

Vielleicht stellen Sie sich nun die Frage, was die Eigenschaft *cursor* bedeutet. Nun, die Eigenschaft *cursor* ermöglicht es, die Darstellung des Mauszeigers zu verändern. Wenn Sie innerhalb der Tabelle den Mauszeiger über die prozentualen Werte bewegen, wird nicht der normale Mauszeiger dargestellt, sondern ein Cursor in Form eines Fingers. CSS kennt siebzehn verschiedene Werte, mit denen bestimmte grafische Symbole erzeugt werden können. Eine Übersicht über diese Symbole finden Sie im Leserbereich.

Die Größe der Tabelle und ihrer Zellen wird grundsätzlich vom Zelleninhalt bestimmt. Verändern lässt sich die Breite und Höhe von Tabellenspalten oder -zeilen mit den bekannten Eigenschaften *width* und *height*. Nachfolgend werden wir beispielhaft die Tabelle über die gesamte Seitenbreite strecken, indem wir eine Breite von 100 % anweisen. Mit der ebenfalls bekannten Eigenschaft *text-align* lassen sich die

Inhalte innerhalb der Zellen ausrichten. Wir werden uns für eine zentrierte Ausrichtung entscheiden.

To-Do 39: Die Tabellenbreite verändern und den Zelleninhalt zentrieren

1. Öffnen Sie die Datei mylayout.css in Ihrem Editor und ergänzen Sie sie am Ende um folgende Regeln:

```
table {
width: 100%;
text-align: center;
background-color: #F3FFB1;
color: black;
border-width: 2px;
border-style: solid;
border-color: #D6D5D5;
border-collapse: collapse;
}
```

2. Speichern Sie die geänderte CSS-Datei und betrachten Sie die HTML-Datei in Ihrem Browser.

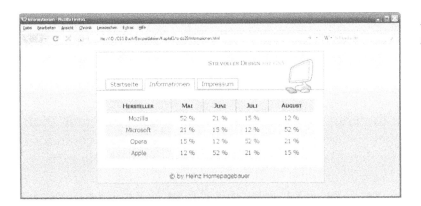

Abb. 37: Die fertig gestaltete Tabelle

Kapitel 7:
Mehrspaltige Layouts

Bei unserer bisherigen Beispielseite handelt es sich um ein sogenanntes einspaltiges Layout, da auf horizontaler Ebene lediglich eine Hauptspalte vorhanden ist. Als nächsten Schritt werden wir mehrspaltige Layouts erstellen, bei der wir die Navigation nicht mehr über, sondern neben dem Inhaltsbereich anordnen.

Bei der Realisation steht man als Webdesigner vor der Herausforderung, dass CSS leider keine Möglichkeit vorsieht, mit der sich ein mehrspaltiges Layout direkt erzeugen lässt. Es gibt schlichtweg keine CSS-Eigenschaft, die direkt für die Anordnung in Spalten sorgt oder zumindest einem Element das typische Verhalten einer Spalte zuweist. Dessen ungeachtet gibt es Ersatzlösungen, mit denen sich trotzdem funktionsfähige, mehrspaltige CSS-Layouts erzeugen lassen. Dabei gibt es nicht die eine „richtige" Lösung. Im Laufe der Zeit haben sich einige Workarounds durchgesetzt, die nachfolgend mit ihren jeweiligen Vor- und Nachteilen erklärt werden.

Exkurs: Höhen und Breiten – absolut und relativ

Vorweg wollen wir uns einmal anschauen, welche grundsätzlichen Gestaltungs- und Kontrollmöglichkeiten uns CSS in Bezug auf die Ausdehnung der Container bietet. Im To-Do 15 hatten wir bereits dem Wrapper eine relative (prozentuale) Breitenangabe zugewiesen. Die Auswirkungen dieser Definition sieht man sehr schön, wenn das Browserfenster in der Breite verkleinert wird.

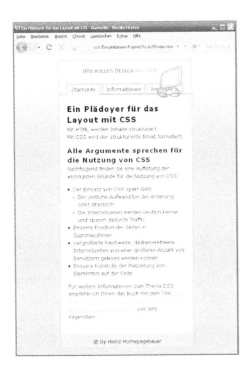

Abb. 38: Schmales Browserfenster, der Inhalt dehnt sich flexibel nach unten aus

Im schmalen Browserfenster reagieren die Spalten flexibel und dehnen sich nach unten aus. In der CSS-Fachsprache werden solche Layouts meist als fluid, teilweise auch als liquid bezeichnet. Alternativ besteht auch die Möglichkeit, Maßangaben absolut in Pixeln zu definieren. Probieren Sie es einmal aus, indem Sie für den Wrapper die bisherige Breitenangabe durch *width: 800px* ersetzen.

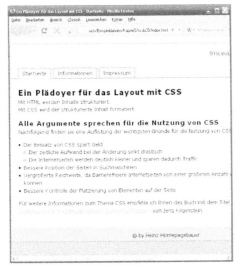

Abb. 39: Schmales Browserfenster, der Inhalt passt sich nicht dem Browserfenster an, obwohl nach unten Platz ist

Die Seitenelemente bleiben jetzt immer gleich breit, unabhängig von der Breite des Browserfensters. Die Spalten reagieren unflexibel auf Größenveränderungen und die Pixelangaben sind bildlich gesprochen wie in Stein gemeißelt. Ein solches Layout wird auch als Fixed Layout bezeichnet.

Nun stellt sich natürlich die Frage, ob beim Webdesign eher mit relativen oder eher mit absoluten Maßangaben gearbeitet werden soll. Die Frage lässt sich am sinnvollsten beantworten, wenn Sie sich vergegenwärtigen, welche Ausgabegeräte (Monitore) die potenziellen Besucher Ihrer Website nutzen. Noch nie war die Bandbreite der Geräte, auf denen ein Browser zum Surfen verfügbar ist, so groß wie heute. Selbst wenn man zunächst Speziallösungen wie Handy und PDA außen vor lässt, liegen gängige Monitorgrößen zwischen 14 und 23 Zoll bei Notebooks und Desktop-PCs. Aber auch Subnotebooks (10 bis 13 Zoll), Ultra Mobile PCs und Netbooks (7 bis 10 Zoll) werden immer häufiger als Surfstationen eingesetzt. Im Ergebnis müssen Sie sich also darauf einstellen, dass die Besucher Ihrer Website höchst unterschiedliche Monitorgrößen und Auflösungen verwenden, und entsprechend flexibel sollte Ihre Website damit umgehen können. Dieses Ziel lässt sich am ehesten durch die Verwendung relativer Breitenangaben erreichen, bei welcher sich die Layoutelemente an die vorhandene Darstellungsfläche proportional anpassen.

Gleichwohl kann es aber durchaus sinnvoll sein, in einem Layout mit grundsätzlich relativen Angaben für einzelne Spalten abweichend absolute Angaben zu definieren. So kann z. B. ein Navigationsmenü darauf angewiesen sein, immer seine Größe und damit sein Design unabhängig von der Browsergröße beizubehalten. Aus genau diesem Grund werden wir bei unserer Beispielseite im To-Do 40 eine absolute Breite von 150 Pixeln definieren. Relative und absolute Angaben lassen sich durchaus mischen. Zusammenfassend können wir festhalten:

- Für konstante Breiten- und Höhenangaben verwendet man absolute Werte in Form von Pixeln (sog. Fixed Layout).
- Soll sich das Layout dynamisch an die jeweilige Größe des Browserfensters anpassen, werden relative Werte in Form von Prozentangaben (sog. Fluid oder liquid Layout) angegeben. Relative Angaben sollten, wo immer es möglich ist, Verwendung finden.

Mehrspaltige Layouts mit position: *absolute* und *margin*

Die einfachste Möglichkeit besteht darin, dem Container #*textbereich* einen linken Außenabstand zuzuweisen. Die nun entstandene Lücke wird von der Hintergrundfarbe des Containers #*wrapper* übernommen. Wir müssen deshalb sowohl dem Container *#textbereich* wie auch dem Container *#wrapper* eine abweichende Hinter-grundfarbe zuweisen, um den optischen Eindruck zweier gleich hoher Rechtecke zu erreichen.

To-Do 40: Eine zweite Spalte hinzufügen

1. Öffnen Sie die Datei mylayout.css in Ihrem Editor und ergänzen Sie sie um folgende Regeln:

```
#wrapper {
color: black;
background-color: red;
width: 60%;
border: 2px solid #b79348;
margin-top: 15px;
margin-right: auto;
margin-bottom: 15px;
margin-left: auto;
}
#textbereich {
margin-left: 150px;
background-color: white;
color: black;
}
```

2. Speichern Sie die geänderte CSS-Datei und betrachten Sie die HTML-Datei in Ihrem Browser.

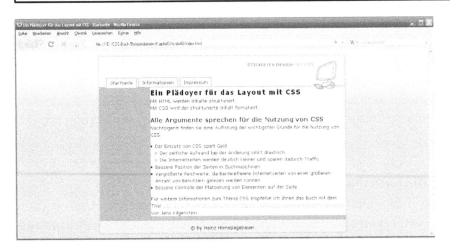

Abb. 40: #textbereich mit linkem Außenab-stand

Als nächsten Schritt werden wir den Navigationsbereich innerhalb der neu geschaffenen linken Spalte anordnen. Der Übersichtlichkeit halber löschen wir die Bereiche *#navigation ul, #navigation li* und *#navigation a* komplett, um anschließend *#wrapper* relativ und *#navigation* absolut zu positionieren. Ferner weisen wir der Pseudoklasse *a:link* die Farbe schwarz zu, damit alle Navigationselemente sichtbar werden.

To-Do 41: Den Navigationsbereich links anordnen

1. Öffnen Sie die Datei mylayout.css in Ihrem Editor und ergänzen Sie sie um folgende Regeln:

```
#wrapper {
  position: relative;
  color: black;
  background-color: red;
  width: 60%;
  border: 2px solid #b79348;
  margin-top: 15px;
  margin-right: auto;
  margin-bottom: 15px;
  margin-left: auto;
}
#navigation {
  position: absolute;
}
a:link { color: black; }
```

2. Speichern Sie die geänderte CSS-Datei und betrachten Sie die HTML-Datei in Ihrem Browser.

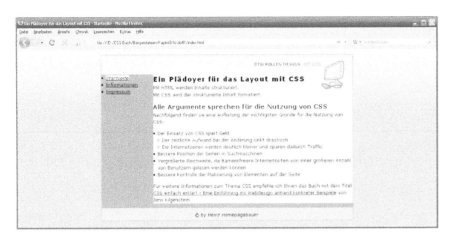

Abb. 41: Die Navigation ist innerhalb der linken Spalte angeordnet

Die Seite sieht so schon recht brauchbar aus, allerdings stören noch einige optische Unzulänglichkeiten. Deshalb werden wir im nachfolgenden To-Do das Navigationsmenü verbessern und farblich alles etwas konsistenter abstimmen. Außerdem werden wir der Fußzeile optisch einrahmen, was wir mit der Eigenschaft *border-top* erreichen. Alle Änderungen werden wir ausschließlich mit bereits bekannten Eigenschaften bewerkstelligen. Damit der hier im Buch abgedruckte Quelltext nicht zu lang und damit zu unübersichtlich wird, sind im nachfolgenden To-Do 42 nur zusätzliche bzw. geänderte Regeln abgedruckt.

To-Do 42: Den Zweispalter optisch aufwerten

1. Öffnen Sie die Datei mylayout.css in Ihrem Editor und ergänzen Sie sie um folgende Regeln:

```
#wrapper {
  background-color: #E2C185;
}
#kopfzeile {
  background-color: #C7A86B;
}
#navigation {
  margin-top: 10px;
}
#navigation ul li {
list-style-type: none;
}
#navigation a {
display: block;
text-decoration: none;
width: 115px;
margin: 2px 0;
padding: 1px 0 2px 5px;
font-weight: bold;
background-color: #100;
color: white;
border-top: 1px solid #000;
border-right: 1px solid #000;
border-bottom: 1px solid #000;
}
#navigation a:hover {
  background-color: gray;
}
#textbereich {
background-color: #F3E7CD;
padding: 20px 50px 20px 50px;
}
#fusszeile {
  background-color: #C7A86B;
  border-top: 1px solid black;
}
```

2. Speichern Sie die geänderte CSS-Datei und betrachten Sie die HTML-Datei in Ihrem Browser.

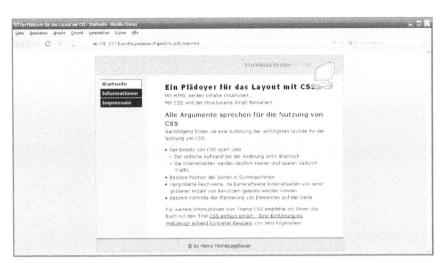

*Abb. 42: Der kom-
plettierte Zweispalter*

Jetzt werden wir eine dritte Spalte hinzufügen. Um das zu erreichen, weisen wir wiederum dem Container *#textbereich* einen Außenabstand zu, diesmal aber einen rechten.

To-Do 43: Eine dritte Spalte hinzufügen

1. Öffnen Sie die Datei mylayout.css in Ihrem Editor und ergänzen Sie sie um folgende Regeln:

```
#textbereich {
margin-left: 150px;
margin-right: 150px;
background-color: #F3E7CD;
color: black;
padding: 20px 50px 20px 50px;
}
```

2. Speichern Sie die geänderte CSS-Datei und betrachten Sie die HTML-Datei in
   Ihrem Browser.

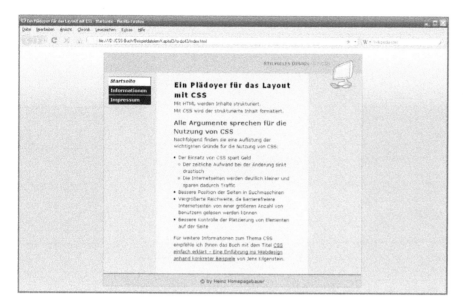

Abb. 43: Die dritte Spalte wird mit einem Außenabstand für #textbereich realisiert

Jetzt werden wir die rechte Spalte mit Inhalt befüllen. Häufig wird die rechte Spalte für sog. Teaser-Texte genutzt. Ein Teaser-Text ist meistens die Zusammenfassung eines Artikels, der das Interesse des Users wecken soll. Am Ende des Teaser-Textes steht ein „mehr"-Link, der auf den eigentlichen Artikel verweist. Der Einsatz solcher Teaser-Texte in der dritten Spalte ist zwar üblich, aber keinesfalls zwingend. Wir werden nachfolgend Teaser-Text einfügen. Hierzu müssen wir zunächst in der HTML-Datei einen neuen *div*-Container hinzufügen.

To-Do 44: Teaser-Texte hinzufügen
1. Öffnen Sie die Datei „index.html" und ergänzen Sie den Quelltext (vor dem div „fusszeile") wie folgt:

```
<div id="teaserbox">
<p>Teaser-Texte sind kurze Einleitung in das Thema oder die Fragestellung eines Artikels, die das Interesse des Lesers wecken soll, ähnlich einer Überschrift bei einer Zeitung. </p>
<p>Meistens werden sie auf der Startseite oder auf Übersichtsseiten eingesetzt, und verlinken auf längere Artikel. </p>
<p>An dieser Stelle ist ein Teaser-Text also optimal platziert. </p>
</div>
```

2. Öffnen Sie die Datei mylayout.css in Ihrem Editor und ergänzen Sie sie (vor der Regel "fusszeile") um folgende Regel:

```
#teaserbox {
position: absolute;
top: 120px;
right: 0;
width: 130px;
padding: 10px;
background-color: #E2C185;
color: black;
}
```

3. Speichern Sie beide Dateien und betrachten Sie die HTML-Datei in Ihrem Browser.

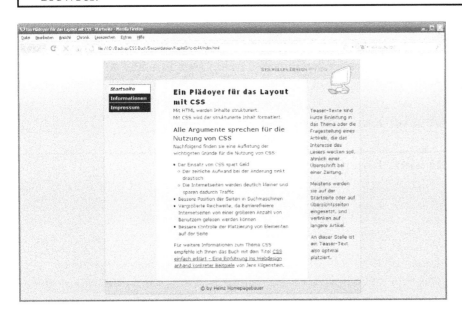

Abb. 44: Der mithilfe von position: absolute und margin komplettierte Dreispalter

Somit haben wir mithilfe von *position: absolute* und *margin* unkompliziert ein passables Spaltenlayout erstellt. Die sehr einfache Durchschaubarkeit ist auch die wesentliche Stärke dieser Methode. Jeder sollte recht schnell damit solide Erfolge erzielen können. Einen Nachteil gibt es allerdings: Sollte aus irgendeinem Grund der Inhalt der Navigationsspalte länger als der der Textbereichsspalte sein, fließt er einfach über die Fußzeile hinweg. In der Praxis ist dieser Nachteil oftmals gar nicht relevant, da sehr häufig die Textbereichsspalte immer länger als die Navigationsspalte ist. Bei der Konzeption einer Webseite muss man sich allerdings dieses Problems bewusst sein.

Mehrspaltige Layouts mit der Eigenschaft *float*

Eine andere weit verbreitete Variante zur Erzeugung mehrspaltiger Layouts greift auf die bereits bekannte Eigenschaft *float* zurück, mit der Blockelemente nebeneinander platziert werden können.

Noch einmal zur Erinnerung: Wichtig ist, dass Sie für den Bereich, den sie floaten, unbedingt eine Breitenangabe definieren, da ansonsten das Verhalten der Browser unvorhersehbar sein kann.

Zunächst floaten wir den Bereich *#navigation* nach links, damit der Navigationsbereich ganz links unter der Kopfzeile positioniert wird. Gleichzeitig definieren wir eine Breite von 17 %. Der Übersicht halber entfernen wir innerhalb von *#navigation* die Angaben *padding* und *border*. *#navigation ul*, *#navigation li* und *#navigation a* können komplett entfernt werden.

Achtung, der Einfachheit halber greifen wir ab diesem Punkt wieder auf den Quelltext des To-Do 39 zurück!

To-Do 45: Den Bereich #navigation nach links floaten
1. Öffnen Sie die Datei mylayout.css (**To-Do 39**) in Ihrem Editor und ergänzen Sie sie um folgende Regeln:

```
#navigation {
  float: left;
  width: 150px;
  color: black;
  background-color: yellow;
}
```

2. Speichern Sie die geänderte CSS-Datei und betrachten Sie die HTML-Datei in Ihrem Browser.

Im Ergebnis umfließt nun der Textbereich die links sitzende Navigation. Mangels fehlender Höhenangabe ist die Navigation genauso hoch wie ihr Inhalt. Das ist der ganz normale Fluss der Elemente, der bereits in einem vorigen Kapitel erläutert wurde.

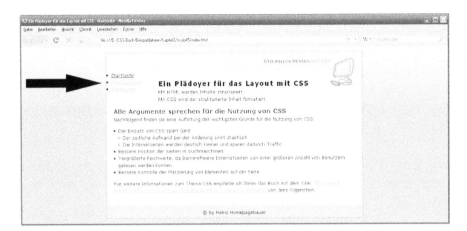

Abb. 45: Der Text-bereich umfließt die Navigation

Um zu erreichen, dass sich der gesamte Textbereich in einer Linie neben der Navigation befindet, geben wir dem Bereich *#textbereich* einfach einen linken Außenabstand, der so breit ist wie der Bereich *#navigation*. Gleichzeitig entfernen wir auch hier den *padding*.

To-Do 46: Für #textbereich einen Außenabstand definieren

1. Öffnen Sie die Datei mylayout.css in Ihrem Editor und ergänzen Sie sie um folgende Regeln:

```
#textbereich {
  margin-left: 150px;
}
```

2. Speichern Sie die geänderte CSS-Datei und betrachten Sie die HTML-Datei in Ihrem Browser.

Das gewünschte Ergebnis ist nun eingetreten:

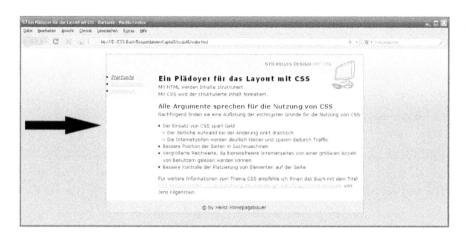

Abb. 46: Der Textbereich sitzt nun neben der Navigation

Gleich hohe Spalten simulieren: Faux Columns mit Hintergrundgrafik

Zwar sitzt der Inhalt nun neben der Navigation, allerdings sind der Navigations- und der Textbereich nicht gleich hoch. Das ist wie gesagt der ganz normale Fluss der Elemente: Divs nehmen immer - sofern ihre Höhe nicht definiert ist - die Höhe ihres Inhalts an. Ist der Inhalt einer Spalte also recht kurz, wird natürlich auch die darauf definierte Hintergrundfarbe nicht weiter als bis zum Ende des Inhalts gehen. Die beabsichtigte Spalte wäre zwar sichtbar hervorgehoben, hätte aber ein unerwünscht frühes Ende. In unserem Beispiel wirkt das abrupte Ende des eingefärbten Navigationsbereiches optisch inkonsistent. Da die Hintergrundfarbe bereits den gesamten Navigationsbereich im natürlichen Fluss der Elemente füllt, wäre eine Möglichkeit, eine feste Höhenangabe zu definieren. Diese Option würde nur dann funktionieren, wenn die Länge des Textbereiches auf allen Unterseiten exakt gleich und damit kalkulierbar wäre. Da die Textlänge auf Webseiten gewöhnlich variieren kann, bringen uns einheitliche Höhenangaben nicht weiter. Und selbst wenn man die längste aller vorhandenen Unterseiten als Maßstab für eine Höhendefinition nimmt, müsste bei kurzen Seiteninhalten weit nach unten gescrollt werden, um den *footer* zu erreichen. Um ein Maximum an Flexibilität zu erreichen, müssen wir eine Möglichkeit finden, dass sich beide Divs (also der Navigations- und der Textbereich) bis zu der Fußzeile ausdehnen.

CSS selbst bietet in der jetzigen Form leider keine Möglichkeit, gleich hohe, aber dennoch flexible Spalten zu erzeugen. Wir müssen also in die Trickkiste greifen, um etwas zu erreichen, was CSS als direkte Option gar nicht vorsieht. Also bleibt uns nur die Möglichkeit, die optische Illusion durchgängig farbiger Spalten zu erzeugen. Klinkt geheimnisvoll, ist im Grunde aber ganz simpel: Der Trick besteht darin, dass wir unseren Wrapper mit einer sich vertikal wiederholenden Hintergrundgrafik versehen, die genau so breit ist wie der Navigationsbereich. Da sich der Wrapper in seiner Länge immer dem längsten Div, den er beinhaltet, anpasst, wiederholt sich die Hintergrundgrafik auch automatisch für den kürzeren Div bis an den unteren Rand.

Genannt wird diese Technik übrigens „Faux Columns", was halb französisch und halb englisch ist und im Deutschen als „falsche Spalten" übersetzt werden kann.

Die Breite der zu erzeugenden Grafik richtet sich wie gesagt nach der Gesamtbreite des Navigationsbereichs, d. h. in unserem Beispiel 150 px. Als Höhe ist ein Pixel ausreichen. Die nachfolgend verwendete Bilddatei finden Sie im Leserbereich im To-Do 47.

To-Do 47: Gleich hohe Spalten für Navigations- und Textbereich simulieren (Faux Column)

1. Öffnen Sie die Datei mylayout.css in Ihrem Editor und ergänzen Sie sie um folgende Regeln:

```
#wrapper {
  color: black;
  background-color: white;
  background-image: url(faux_column.jpg);
  background-repeat: repeat-y;
  background-position: top left;
  width: 60%;
  border: 2px solid #b79348;
  margin-top: 15px;
  margin-right: auto;
  margin-bottom: 15px;
  margin-left: auto;
}
```

2. Speichern Sie die geänderte CSS-Datei und betrachten Sie die HTML-Datei in Ihrem Browser.

Floats links- und rechtsseitig ausrichten

Blockelemente lassen sich per *float* nicht nur linksseitig positionieren, sondern es besteht ebenfalls die Möglichkeit, sie rechtsseitig auszurichten. In dieser Konstellation muss für den Textbereich explizit eine Breitenangabe definiert werden. Der Einfachheit halber definieren wir zunächst für den Bereich *#wrapper* eine feste Größe von

800 px. Außerdem muss spätestens jetzt das Floaten der Fußzeile verhindert werden, was wir mit dem Befehl *clear: both* erreichen.

To-Do 48: Zweispalter mit links- und rechtsseitigen Floats
1. Öffnen Sie die Datei mylayout.css in Ihrem Editor und ergänzen Sie sie um folgende Regeln:

```
#wrapper {
  color: black;
  background-color: white;
  background-image: url(faux_column.jpg);
  background-repeat: repeat-y;
  background-position: top left;
  width: 800px;
  border: 2px solid #b79348;
  margin-top: 15px;
  margin-right: auto;
  margin-bottom: 15px;
  margin-left: auto;
}
#textbereich {
  float: right;
  width: 650px;
}
#fusszeile {
  clear: both;
  color: black;
  background-color: aqua;
  text-align: center;
  padding-top: 10px;
  padding-bottom: 5px;
}
```

2. Speichern Sie die geänderte CSS-Datei und betrachten Sie die HTML-Datei in Ihrem Browser.

Das optische Ergebnis ist zunächst, mit Ausnahme des etwas breiteren Wrappers, mit dem des To-Do 47 identisch. Die Vorteile der links- und rechtsseitigen Ausrichtung werden erst dann offensichtlich, wenn ein Layout mit drei oder mehr Spalten erstellt werden soll.

Nachfolgend erstellen wir wiederum ein dreispaltiges Layout. Der Bereich *#naviga-tion* (Spalte Nummer eins) wird unverändert nach links gefloatet. Die Preisfrage ist nun, wie wir Spalte Nummer zwei und drei floaten. Die Lösung ist simpel, Spalte Nummer zwei und drei wird im HTML-Quelltext einem neuen *div*-Bereich untergeordnet und dann entgegengesetzt gefloatet. Die HTML-Struktur muss deshalb wie folgt verändert werden:

```
<div id="wrapper">
  <div id="kopfzeile"> </div>
  <div id="navigation"> </div>
  <div id="textbereich">
    <div id="hauptinhalt"> </div>
    <div id="nebeninhalt"> </div>
  </div>
  <div id="fusszeile"> </div>
</div>
```

Nun floaten wir den übergeordneten Div *#textbereich* nach rechts (*#navigation* ist ja bereits nach links gefloatet). Die untergeordneten Divs *#hauptinhalt* und *#nebeninhalt* werden entgegengesetzt nach links und rechts gefloatet und erzeugen dadurch den Dreispalter. Um die dritte Spalte durchgängig einzufärben, definieren wir im Bereich *#wrapper* die identische Hintergrundfarbe wie im Bereich *#nebeninhalt*.

To-Do 49: Einen Dreispalter mit entgegengesetzten Floats erzeugen
1. Öffnen Sie Datei „index.html" und ergänzen Sie den Quelltext wie folgt:

```
<div id="textbereich">
  <div id="hauptinhalt"><h1>Ein Plädoyer für das...</div>
  <div id="nebeninhalt"><p>Teaser-Texte sind kurze...</div>
</div>
```

2. Öffnen Sie die Datei mylayout.css in Ihrem Editor und ergänzen Sie sie (vor der Regel "fusszeile") um folgende Regel:

```
#wrapper {
  color: black;
  background-color: #d9d9d9;
  background-image: url(faux_column.jpg);
  background-repeat: repeat-y;
  background-position: top left;
  width: 70%;
  border: 2px solid #b79348;
  margin-top: 15px;
  margin-right: auto;
  margin-bottom: 15px;
  margin-left: auto;
}
#textbereich {
  float: right;
  width: 650px;
}
#hauptinhalt {
  float: left;
  width: 480px;
  color: black;
  background-color: white;
}
#nebeninhalt {
  float: right;
  width: 170px;
  color: black;
  background-color: #d9d9d9;
}
```

3. Speichern Sie beide Dateien und betrachten Sie die HTML-Datei in Ihrem Browser.

Um das Layout zu perfektionieren, müssten nun lediglich die Abstände und der Navigationsbereich mit den Ihnen bereits bekannten Befehlen optimiert werden.

Faux Columns ohne Hintergrundgrafik

Der Trick mit der sich wiederholenden Hintergrundgrafik hat allerdings einen entscheidenden Nachteil: Wirklich problemlos funktioniert er nur bei fixen Layouts. Deshalb möchte ich Ihnen jetzt eine komplett andere Möglichkeit vorstellen, mit deren

Hilfe sich durchgehende Spalten ohne Hintergrundgrafik erzeugen lassen, und zwar auch bei fluiden Layouts. Um dies zu erreichen, weisen wir allen Boxen, die sich unterschiedlich ausdehnen könnten, einen sehr großen Innenabstand (*padding*) und einen ebenso großen negativen Außenabstand (*margin*) zu. Den vorhandenen *faux column*-Eintrag im *#wrapper* entfernen wir natürlich zuvor.

To-Do 50: Großen Innenabstand und negativer Außenabstand zuweisen
1. Öffnen Sie die Datei mylayout.css und löschen sie folgenden Einträge:

```
#wrapper {
  background-image: url(faux_column.jpg);
  background-repeat: repeat-y;
  background-position: top left;
}
```

2. Ergänzen Sie folgende Regel:

```
#navigation,
#textbereich,
#hauptinhalt,
#nebeninhalt {
padding-bottom: 32767px;
margin-bottom: -32767px;
}
```

3. Speichern Sie beide Dateien und betrachten Sie die HTML-Datei in Ihrem Browser.

Der Wert wurde übrigens deshalb auf 32.767 Pixel definiert, da einige Browser keine größeren Werte zulassen.

Die Seite ist natürlich jetzt viel zu lang. Sinnvollerweise sollte sie unterhalb der Fußzeile enden. Hierfür stellt CSS eine Eigenschaft namens *overflow* bereit, die in Verbindung mit dem Wert *hidden* überfließenden Inhalt einfach ausblendet. Die Anweisung setzen wir in der umschließenden Box *#wrapper* ein.

To-Do 51: Den überfließenden Inhalt ausblenden (overflow: hidden)
1. Öffnen Sie die Datei mylayout.css in Ihrem Editor und ergänzen Sie sie um folgende Regeln:

```
#wrapper {
  color: black;
  background-color: #d9d9d9;
  width: 800px;
  border: 2px solid #b79348;
  margin-top: 15px;
  margin-right: auto;
  margin-bottom: 15px;
  margin-left: auto;
  overflow: hidden;
}
```

2. Speichern Sie die geänderte CSS-Datei und betrachten Sie die HTML-Datei in Ihrem Browser.

Leider ist nun die Fußzeile nicht mehr sichtbar, da sie hinter die Spalten gerutscht ist. Das liegt daran, dass im Quelltext später notierte Elemente von vorhergehenden überdeckt werden. Mit der Eigenschaft *z-index* kann diese Reihenfolge verändert werden, indem man den einzelnen Elementen Werte zuordnet. Voraussetzung ist, dass das Element überhaupt (also nicht lediglich mit *static*) positioniert wurde (siehe Seite 81). Kommt es zu einer Überlappung, lässt es der *z-index* über anderen Elementen mit einem niedrigeren *z-index* schweben. Der *z-index* eines gar nicht oder mit *static* (Standardwert) positionierten Elements beträgt 0.

Um den Fußbereich wieder nach vorne zu holen, müssen wir also
1. *#fusszeile* anders als mit dem Standardwert *static* positionieren und
2. einen *z-index*, der größer als 0 ist, zuweisen.

Im nachfolgenden To-Do 52 werden wir zusätzlich noch dem Wrapper positionieren (*position: relative*), damit dieses Layout auch in allen Versionen des Internet Explorers funktioniert.

To-Do 52: Mit z-index die Position des Fußbereiches verändern

1. Öffnen Sie die Datei mylayout.css in Ihrem Editor und ergänzen Sie sie um folgende Regeln:

```
#wrapper {
  color: black;
  background-color: #d9d9d9;
  width: 800px;
  border: 2px solid #b79348;
  margin-top: 15px;
  margin-right: auto;
  margin-bottom: 15px;
  margin-left: auto;
  overflow: hidden;
  position: relative;
}
#fusszeile {
  clear: both;
  color: black;
  background-color: aqua;
  text-align: center;
  padding-top: 10px;
  padding-bottom: 5px;
  position: relative;
  z-index: 1;
}
```

2. Speichern Sie die geänderte CSS-Datei und betrachten Sie die HTML-Datei in Ihrem Browser.

CSS-Check / Validierung

Bei der Erstellung eines CSS-Layouts ist es wichtig, sich penibel an die CSS-Grammatik zu halten. Analog zum bereits vorgestellten HTML-Validator (siehe Seite 31) bietet das W3C auch einen kostenlosen Online-Service zum Testen von CSS unter folgender URL an:

▶ http://jigsaw.w3.org/css-validator/

Kapitel 8:
Kaskade, Vererbung und Standardwerte

Nachfolgend werden wir detailliert beleuchten, nach welchen Regeln ein Browser einen Quelltext einliest und interpretiert. Diese sog. Kaskadierungs- und Vererbungsregeln sind für den Anfänger schwer verdauliche Kost. Versuchen Sie deshalb, das nachfolgende Kapitel konzentriert durchzuarbeiten, und seien Sie nicht frustriert, wenn Sie nicht alle Zusammenhänge auf Anhieb verstehen.

Der Job des Browsers: parsen und interpretieren

Ein Browser, der von einem Webserver einen HTML-Quelltext einliest (parst), erstellt zunächst einen virtuellen Dokumentenbaum, der den hierarchischen Aufbau beschreibt. Die Fachbezeichnung hierfür lautet Document Object Model, abgekürzt DOM. Die nachfolgende Abbildung zeigt, wie ein solches Modell für einen einfachen Dokumentenbaum aussehen kann:

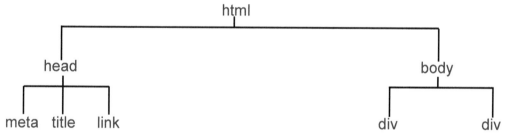

Abb. 47: Grafische Darstellung eines HTML-Dokumentenbaums

Das oberste Element einer jeden Webseite ist immer *html*. Von *html* gehen zwei Elemente ab, nämlich *head* und *body*. Bildlich gesprochen sind *head* und *body* Kinder von *html* und somit Geschwister. *body* wiederum hat weitere Nachfahren, die man wiederum als Eltern- und Kind-Elemente zuordnen kann.

Aus dem HTML-Quelltext kennt der Browser jetzt den hierarchischen Aufbau der Seite. Er weiß aber noch nicht, wie er die Elemente konkret darstellen soll. Deshalb versucht er als nächsten Schritt, jedem Element eine Eigenschaft und einen Wert (z. B. für die Eigenschaft *border-style* den Wert *solid*) zuweisen. Hierzu untersucht der Browser die CSS-Stilregeln. Nun kann es passieren, dass im Quelltext mehrere Deklarationen oder auch gar keine vorhanden sind. Für diese Fälle hat das W3C Regeln entwickelt, die der Browser brav für jedes Element abarbeitet und als sog. Kaskadierungs- und Vererbungsregeln bezeichnet werden.

Konkret arbeitet der Browser **bis zu drei Regeln nacheinander** ab. Es bricht ab, sobald eine Regel zu einem Ergebnis führt. Die Regeln lauten wie folgt:

1. Falls die Kaskadierungsregeln einen Wert ergeben, benutze diesen.
2. Falls nicht, benutze einen Wert nach den Vererbungsregeln.
3. Wird kein Wert vererbt, benutze einen Standardwert.

Regel 1: Kaskadierung

Zunächst werden alle Deklarationen ermittelt, die sich auf das betreffende Element beziehen. Gibt es nur eine Deklaration, wird diese vom Browser verwendet. Interessant wird es, wenn mehrere Anweisungen die gleiche Eigenschaft mit unterschiedlichen Werten belegen. Bei der Kaskadierung geht es also um die Frage, welche Eigenschaften bei widersprüchlichen Angaben verwendet werden. Auftreten kann eine solche Mehrfachzuweisung von Werten zunächst einmal, weil es mehrere Quellen gibt, an denen Stylesheetangaben definiert werden können.

Herkunft von Style-Angaben (Ursprung)

Es gibt drei mögliche Quellen für Stylesheetangaben:

- Das Stylesheet des Browsers
- Das Stylesheet des Benutzers
- Das Stylesheet des Autors des Dokumentes

1. Browser-Stylesheets

Jeder Browser verfügt zunächst einmal über ein eigenes Standard-Browser-Stylesheet. Darin stehen bestimmte Regeln, die sich zum größten Teil an den Initialwerten der CSS-Empfehlung anlehnen. Das W3C macht hierfür einen Vorschlag, der allerdings nicht normativ ist (den Link finden Sie im Leserbereich). Beim Firefox kann man sich diese Datei auch anschauen. Sie heißt html.css und liegt im Programmordner von Firefox im Unterordner /res (also z. B. C:\Programme\Mozilla Firefox\res). Alternativ kann man in der Adressleiste von Firefox auch resource:///res/html.css eintippen. Beim Internet Explorer ist das Browser-Stylesheet leider nicht einsehbar.

2. Benutzer-Stylesheets

Die Browser bieten dem Benutzer die Möglichkeit, Änderungen an den Browservorgaben zu machen und eigene Angaben zur Formatierung in einem Benutzer-Stylesheet (User-Stylesheet) zu hinterlegen. Änderungen an der Schriftgröße oder den verwendeten Farben können beispielsweise bei Menschen, deren individuelle Sehkraft vom „Normalsichtigen" abweicht, sinnvoll sein.

Ein eigenes Stylesheet lässt sich schnell im Browser integrieren. Beim Internet Explorer geht das unter Extras → Internetoptionen → Allgemein → Eingabehilfen. Neben der Möglichkeit, eine eigene CSS-Datei einzubinden, kann man dort auch Farbangaben, Schriftangaben und Schriftgradangaben des Autoren-Stylesheets (s. u.) generell ignorieren lassen. Beim Firefox muss eine Datei namens userContent.css im Profilordner im Unterverzeichnis chrome erstellt werden. Nähere Infos hierzu finden Sie im Leserbereich.

3. Autoren-Stylesheets

Der Autor ist die Person, die die Webseite gestaltet und entwickelt – also Sie! Wie bereits erläutert (siehe Seite 39), gibt es drei Möglichkeiten, CSS-Regeln einzubinden: Entweder im Form einer externen CSS-Datei, die im HTML-Dokument verlinkt wird, im Head-Bereich des HTML-Dokuments (embedded) oder direkt im HTML-Tag (inline).

Welche der drei Quellen hat Vorfahrt?

Angaben im Browser-Stylesheet werden durch Angaben im Benutzer-Stylesheet (sofern vorhanden) überschrieben; diese wiederum werden durch die Angaben des Autoren-Stylesheets (sofern vorhanden) überschrieben.
Ein Beispiel: Nehmen wir an, Sie definieren als Autor den Stil:

```
p {color: green;}
```

Der Benutzer hat aber einen anderen Stil definiert:

```
p {color: yellow;}
```

Und der des Standard-Browser-Stylesheet könnte z. B. so aussehen:

```
p {color: red;}
```

In diesem Fall würde die Schrift der Absätze grün angezeigt werden, da das Autoren-Stylesheet die höchste Priorität hat und daher die Schriftfarbe aus diesem Stil verwendet wird.

Die !important-Regel (Gewichtung)

Standardmäßig überschreiben die Regeln im Stylesheet eines Autors diejenigen aus dem Stylesheet eines Benutzers. Die Priorität einer Angabe lässt sich jedoch durch Verwendung des Schlüsselwortes *!important* erhöhen. Eine mit dem Schlüsselwort *!important* gekennzeichnete Deklaration wird als wichtiger gegenüber einer vergleichbaren Deklaration ohne dieses Schlüsselwort eingestuft. Sowohl Autor- als auch Benutzer-Stylesheets können *!important*-Deklarationen enthalten, und die *!important*-Regeln des Benutzers überschreiben die *!important*-Regeln des Autors. Diese Regel bewirkt somit, dass Sie als Autor der Webseite niemals die vollständige Kontrolle bezüglich der Darstellung beim Anwender haben. Das allerletzte Wort im Stylesheet hat der somit der Betrachter, und nicht der Entwickler! Sinnvoll ist diese Priorisierung, da der Betrachter der Webseite dadurch in der Lage versetzt wird, individuelle Probleme z. B. bei der Schriftgrößen- oder Farbwahrnehmung entgegenzuwirken.

Beispiel: Nehmen wir an, Sie möchten als Autor unbedingt, dass die Schrift der Absätze grün angezeigt wird, und tragen im Autoren-Stylesheet Folgendes ein:

```
p {color: green !important;}
```

Der Benutzer möchte hingegen die Schrift der Absätze unbedingt gelb angezeigt bekommen und definiert im Benutzer-Stylesheet:

```
p {color: yellow !important;}
```

Hier wird die Schrift der Absätze gelb angezeigt, da beide Deklarationen zwar priorisiert sind, im Zweifel sich aber die priorisierte Angabe im Benutzer-Stylesheet durchsetzt.

Spezifität

Als nächsten Schritt geht es um die Fälle, in denen kein *!important* im Spiel ist und mehrere CSS-Regeln sich innerhalb eines Stylesheets widersprechen. Ein solcher Konflikt wird durch folgende Regel gelöst: Spezifischere Selektoren überschreiben allgemeinere Selektoren. Je spezifischer eine Stilregel in ihrem Selektor ein Element beschreibt, desto stärker wird sie gewichtet. Die Gewichtung erfolgt nach einem vorgegebenen Punktesystem, bei der jeder Regeldefinition eine interne **Zahlenreihe von vier Ziffern zugeordnet wird**. Die Spezifität einer Angabe wird wie folgt ermittelt (Level a hat das höchste Gewicht):

Level a: Das **style-Attribut** hat stets die höchste Spezifität und erhält immer den Wert 1.
Level b: Zählen Sie die Anzahl der **ID-Attribute** in dem Selektor.
Level c: Zählen Sie die Anzahl der **anderen Attribute und der Pseudoklassen** in dem Selektor.
Level d: Zählen Sie die Anzahl der **Elementnamen und der Pseudoelemente** in dem Selektor.

Daraus ergibt sich eine Zahl nach dem Schema:

Level a = 1000er-Stelle
Level b = 100er-Stelle
Level c = 10er-Stelle
Level d = 1er-Stelle

Der Universalselektor wird bei der Berechnung der Spezifität übrigens nicht berücksichtigt.

Der Übersichtlichkeit zuliebe kann man diese Werte auch in einer Tabelle eintragen. Nachfolgend finden Sie einige Beispiele:

Selektor	style (Level a)	ID (Level b)	Klasse (Level c)	Element (Level d)	= Spezifität
*	0	0	0	0	0000
p	0	0	0	1	0001
ul li	0	0	0	2	0002
li:first-line	0	0	0	2	0002
ul ol+li	0	0	0	3	0003
.einzigartig	0	0	1	0	0010
#inhalt	0	1	0	0	0100
#inhalt p	0	1	0	1	0101
style=""	1	0	0	0	1000

Ein Beispiel: Nehmen wir mal an, in einem Stylesheet finden sich folgende Regeln:

```
p {color: green;}
p.toll {color: yellow;}
p#toller1 {color: red;}
```

Welche Regel ist nun spezifischer? In welcher Farbe wird folgender Code angezeigt:

```
<p class="toll" id="toller1">Dies ist ein wichtiger Absatz.</p>
```

Die Antwort lautet: Rot! Rechnen wir einmal nach:

Selektor	a b c d (Spezifität)	Ergebnis
p	0-0-0-1	Platz 3
p.toll	0-0-1-1	Platz 2
p#toller1	0-1-0-1	Platz 1

Sortierung nach der Reihenfolge bei gleicher Spezifität

Was passiert, wenn zwei Selektoren mit der exakt identischen Spezifität übrig bleiben? Nun, bei gleicher Spezifität innerhalb eines Stylesheets wird die zuletzt geschriebene Anweisung verwendet. Zumindest die letzte Stufe der Kaskade ist somit einfach verständlich, wenn man bis hierhin durchgehalten hat.

Zusammenfassung zur Kaskadierung (Regel 1)

Die Kaskadierung normiert die Frage, welche Eigenschaften verwendet werden, wenn ein Element Werte von mehreren Stilregeln zugewiesen bekommt. Zur Lösung solcher Konfliktfälle findet ein **dreistufiges System** Anwendung:

Stufe 1: Sortierung nach Gewichtung und Ursprung
Regeln in Autoren-Stylesheets haben ein größeres Gewicht als in Benutzer-Stylesheets und beide sind gewichtiger als im Browser-Stylesheet enthaltene. Einen Ausnahmefall bilden sogenannte *!important*-Regeln, die stets höher gewichtet werden. Somit gilt folgende Reihenfolge:

1. Benutzer-Stylesheet mit !important
2. Autoren-Stylesheet mit !important
3. Autoren-Stylesheet
4. Benutzer-Stylesheet

5. Browser-Stylesheet

<u>Stufe 2: Spezifität</u>
Bei gleichwertigen Angaben innerhalb eines Stylesheets wird die Spezifität berechnet und die Angaben werden danach sortiert.

<u>Stufe 3: Sortierung nach der Reihenfolge</u>
Bei Anweisungen mit gleicher Spezifität innerhalb eines Stylesheets wird die zuletzt geschriebene Anweisung verwendet.

Regel 2: Vererbung

Hat der Browser die Kaskadierungsregeln durchlaufen, aber keine Deklaration gefunden, versucht er als Nächstes eine Deklaration mithilfe der Vererbungsregeln zuzuordnen.

Das Prinzip der Vererbung wurde entwickelt, damit nicht jede Deklaration für jede Ebene des Dokumentenbaums angegeben werden muss. In einer Familie werden bestimmte Charakterzüge von Vorfahren an Nachkommen weitergegeben. In einem Dokumentenbaum werden **manche** CSS-Eigenschaften von Vorfahren an Nachkommen weitergegeben. Diesen Vorgang bezeichnet man als **Vererbung**. Selbstverständlich kann ein Element seine vom Elternelement geerbten Eigenschaften auch seinerseits auf die eigenen Kinder weitervererben.

Sinn der Vererbung

Vererbung hilft dabei, effiziente Stylesheets zu schreiben. Allgemeingültige Eigenschaften, wie z. B. die Hintergrundfarbe oder die Schriftart, werden einfach zentral definiert, statt die identischen Eigenschaften jedem einzelnen Element immer wieder erneut zuzuweisen. Solche zentralen Definitionen haben wir bereits z. B. im *body* im To-Do 12 eingesetzt. Dieses Beispiel zeigt auch, dass es sinnvoll ist, Basiseigenschaften möglichst früh zu definieren und nicht etwa einzeln in jedem Div-Container.

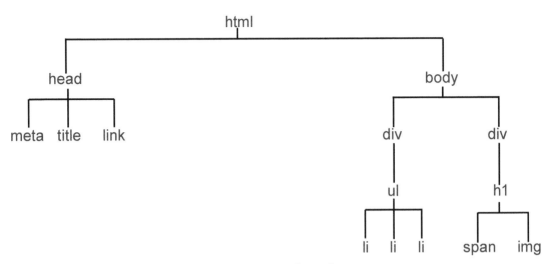

Abb. 48: Grafische Darstellung eines HTML-Vererbungsbaums

In der Abbildung sehen Sie den Dokumentstammbaum vom Beginn dieses Kapitels in erweiterter Form. Nehmen wir nun an, wir hätten wie im *body* folgenden Schrifttyp definiert:

```
body {
  font-family: Verdana;
}
```

Der Browser greift nun für das *h1*-Element auf die vererbte Eigenschaftsdefinition *Verdana* im *body* zurück. Nur wenn ausdrücklich eine *font-family*-Eigenschaft für das *h1*-Element festgelegt werden würde, würde diese letztgeschriebene Anweisung verwendet werden.

Was vererbt wird und warum

Oben hatten wir gesagt, dass lediglich manche CSS-Eigenschaften von Vorfahren an Nachkommen vererbt werden. Einige Eigenschaften wie etwa *border* oder *padding* beim Box-Modell werden glücklicherweise nicht vererbt. Das macht Sinn, da ansonsten bei nachfolgenden *border-* oder *padding*-Elementen jedes Mal erneut *border: none* oder *padding:none* definiert werden müsste. Nachlesen, welche Werte vererbt und welche nicht vererbt werden, kann man in jeder CSS-Referenz. Entsprechende Links finden Sie im Leserbereich. Bei mehreren ererbten Eigenschaften gilt die, die näher am Element ist.

Regel 3: Standardwerte

In der CSS-Referenz ist ferner zu jedem Wert ein sogenannter Standardwert (Default-Wert) angegeben. Er greift als letztmögliche Option ein, wenn weder nach den Kaskadierungs- noch nach den Vererbungsregeln ein Wert für eine Eigenschaft zugeordnet werden konnte.

Ein Beispiel: Die Eigenschaft *text-align* hat den Standardwert *left*. Wäre im To-Do 22 der Wert nicht mit *center* definiert worden, würde die Copyright-Angabe linksbündig ausgerichtet werden, da im Browser-Stylesheet keine Definition vorhanden ist und somit der Standardwert *left* zugeordnet werden würde.

Nachwort: Muss man das alles sofort verstehen?

Das Zusammenwirken von Kaskadierungsregeln, Vererbungsregeln und Standardwerten ist der Bereich, der für Einsteiger mit Abstand am schwierigsten zu verstehen ist. Wenn Sie nach einmaliger Lektüre nicht alles sofort verstanden haben, geht es Ihnen genauso wie mir am Anfang meiner CSS-Laufbahn. Je vertrauter Sie im Umgang mit den „leichter" erlernbaren Bereichen von CSS sind, desto häufiger werden Sie sich insbesondere mit der Kaskadierung beschäftigen müssen. Oft kommt es z. B. vor, dass man einen Rahmen breiter gestalten möchte und man den entsprechenden Wert im Stylesheet ändert. Doch nichts passiert. Die Begründung dafür wird dann meistens in der Kaskade zu finden sein. Entweder wird die Einstellung durch eine Angabe mit höherer Spezifität überschrieben oder es folgt eine Angabe mit gleicher Spezifität. Wenn Sie vor solchen scheinbar unlösbaren Problemen stehen, dann denken Sie daran, dass die Kaskade den Cascading Style Sheets ihren Namen verdankt, und wiederholen Sie noch einmal die in diesem Kapitel erarbeiteten Grundlagen.

Kapitel 9:
Wie teste ich meinen Quellcode?

Die Grammatik für HTML und CSS wird vom W3C verbindlich vorgegeben. Für Webdesigner gibt es Validatoren, mit deren Hilfe man überprüfen kann, ob der geschriebene Seitenquellcode der W3C-Standardkonformität entspricht (siehe Seite 31 und 124). Das ist die erste Voraussetzung, damit der abrufende Quelltext von allen Browsern richtig verstanden und dargestellt werden kann. Hierauf hat man als Webdesigner direkten Einfluss.

Als zweite Voraussetzung muss der abrufende Browser den Quellcode auch tatsächlich entsprechend den Standards interpretieren. Glücklicherweise funktioniert die Interpretation bei den aktuellen Browserversionen in den allermeisten Konstellationen sehr gut, aber leider nicht zu einhundert Prozent. Das liegt sowohl an kleinen Ungenauigkeiten der Standards, die Interpretationsspielraum der Browserhersteller zulassen, wie auch daran, dass das jeweilige Betriebsystem die Darstellung im Browser beeinflussen kann. Auf die browserspezifische Umsetzung der Standards hat man als Webdesigner keinen direkten Einfluss.

Ziel eines Webdesigners sollte es sein, dass die von ihm erstellten Seiten immer korrekt dargestellt werden, unabhängig davon, welcher Browser und welches Betriebssystem vom Betrachter verwendet werden. Die einzige Möglichkeit, diesen Anspruch umzusetzen, bedeutet: testen, testen und noch mal testen. Bei kommerziellen Webprojekten ist es durchaus üblich, dass bis zu 30 Prozent der veranschlagten Gesamtzeit auf das Testen entfällt.

Zum Testen bieten sich prinzipiell drei Möglichkeiten an:

1. Auf dem eigenen Rechner diverse Betriebssysteme und Browserversionen installieren
2. Entsprechende Webdienste nutzen
3. Betriebssysteme über virtuelle Maschinen emulieren und dort die entsprechenden Browser installieren

Auf dem eigenen Rechner diverse Betriebssysteme und Browserversionen installieren

Auf den ersten Blick naheliegend ist es, auf einem oder mehreren Rechnern diverse Betriebssysteme und verschiedene Browserversionen zu installieren. Bei näherer Betrachtung ist diese Variante allerdings die mit Abstand unpraktikabelste. Zu bedenken ist, dass nicht nur die Betriebssysteme in verschiedenen Versionen, sondern zusätzlich auch noch die verschiedenen Browser in verschiedenen Versionen vorgehalten werden müssten. Die Installation und Pflege einer solchen Vielfalt würden einen unglaublichen Aufwand an Hardware, Arbeitszeit und Lizenzkosten bedeuten.

Entsprechende Webdienste nutzen (Cross-Browser-Check)

Die Anbieter diverser Webdienste betreiben Testsysteme mit verschiedenen Betriebssystem- und Browserversionen. Möchte man seine Website testen, teilt man dem Anbieter die jeweilige URL und die gewünschte Betriebsystem und Browser-Kombination mit. Der Anbieter ruft nun die URL auf dem gewünschten System auf. In der einfachsten Variante erstellt der Anbieter hiervon einen Screenshot, welcher grundsätzlich zur Qualitätssicherung von HTML und CSS herangezogen werden kann. Lediglich die Funktion dynamischer oder mit Events verknüpfter Elemente (z. B. ein Aufklapp-Menü) lässt sich mit einem Bild natürlich nicht testen, hierfür benötigt man vielmehr einen Livetest. Einige Anbieter stellen deshalb einen direkten Remote-Zugriff auf die Browser zur Verfügung.

Während der Remote-Zugriff immer kostenpflichtig ist, gibt es für gelegentliche Screenshots auch kostenlose Alternativen. Bewertungen und Links der Dienste finden Sie im Leserbereich.

Betriebssysteme über virtuelle Maschinen emulieren und dort die entsprechenden Browser installieren

Als virtuelle Maschine bezeichnet man ein Programm, das eine virtuelle PC-Umgebung (Hardware, Betriebssystem, Programme) simuliert. Nehmen wir mal an, Sie haben auf Ihrem PC Windows XP. Jetzt starten Sie das Simulationsprogramm (sog. virtuelle Maschine), ein Programmfenster öffnet sich, und in diesem Fenster startet Linux. Mithilfe eines solchen Simulationsprogramms können also mehrere Betriebssysteme zur selben Zeit auf dem gleichen Computer ausgeführt werden. Nähere Informationen zu dieser faszinierenden Technik finden Sie im Leserbereich.

Prinzipiell stellen virtuelle Maschinen eine sehr einfache Möglichkeit dar, um Webseiten schnell unter verschiedenen Betriebssystemen auszutesten. Mit freien Betriebssystemen wie z. B. Linux funktioniert das auch unproblematisch, da sich aus dem Internet vorkonfigurierte Betriebssysteme (Images) herunterladen lassen. Bei kommerziellen Betriebssystemen wie Windows oder Mac OS gibt es natürlich keine legalen Images zum Herunterladen. Hier benötigt man eine gültige Lizenz und muss sich die einzelnen Images selber zurechtstricken. Das ist zwar immer noch sinnvoller, als die Betriebssysteme nichtvirtuell zu installieren, aber trotzdem mit Zeitaufwand und Lizenzkosten verbunden. Für den Hausgebrauch erscheint es deshalb sinnvoller, zunächst auf einen kostenlosen Online-Dienst für den Browser-Check zurückzugreifen. Lässt sich das Problem nicht mithilfe der Screenshots beheben, muss man abwägen, ob man den Darstellungsfehler mithilfe einer eigenen virtuellen Maschine reproduzieren möchte oder den in jedem Fall kostenpflichtigen Remote-Zugriff eines Webanbieters in Anspruch nimmt.

Welche Browser und Betriebssysteme sollte ich überhaupt testen?

Zur Beantwortung dieser Frage sollten wir darüber nachdenken, mit welchem Browser/Browserversion und Betriebssystem voraussichtlich auf eine Website zugegriffen wird. Generelle Anhaltspunkte hierfür bieten Statistiken, wie sie beispielsweise vom Besucherzähler-Anbieter Webhits oder den Marktforschern von XiTi Monitor ermittelt werden (Links finden Sie im Leserbereich). Beim Studieren der Statistiken werden Sie feststellen, dass Internet Explorer und Firefox zusammen auf über 90 % Marktanteil kommen und der überwiegende Teil die aktuelle und letzte Browserversion benutzt. Beim verwendeten Betriebssystem dominieren die aktuelle und letzte Windowsversion. Möchte man lediglich diese statistisch gesehen am häufigsten anzutreffenden User abtesten, erscheint der Aufwand noch überschaubar. Fraglich ist nun, ob auch ein Betrachter mit exotischen oder hoffnungslos veralteten Konstellationen wie beispielsweise Netscape 4.5 unter Win95 beim Testen berücksichtigt werden soll. Oder zumindest der Internet Explorer 6 unter Windows XP? Wo sollte man die Grenze ziehen? Bei kommerziellen Projekten wird diese Grenze stets vom Auftraggeber vorgegeben und ist vor allem vom zur Verfügung stehenden Budget abhängig, da umfangreiche Tests zeitaufwendig und dadurch kostenintensiv sind. Bei semiprofessionellen Projekten muss abgewogen werden, wie viel Zeitaufwand dem Designer exotische Konstellationen wert sind. Als minimales Pflichtprogramm erscheint es sinnvoll, zumindest die Browser Internet Explorer, Firefox, Opera und Safari in der aktuellen und der letzten Version unter Windows XP und Vista zu testen. Wünschenswert wäre es natürlich, diese Testkonstellation auch noch auf Mac OS und Linux auszuweiten. Exotischere Varianten mit unter einem Prozent Marktanteil sind schon als Kür zu bezeichnen. In jedem Fall sollte, nachdem die Website einige Zeit online ist, eine Auswertung der Besucherstatistik (Logfiles) erfolgen. Sollte sich herausstellen, dass eine ungetestete Browser- / Betriebssystemkonstellation recht häufig zugreift, sollte diese schleunigst getestet werden. Gleiches gilt, wenn neue Browser- / Betriebs-systemversionen erscheinen.

Vorgehensweise bei browserspezifischen Problemen

Obwohl die CSS-2-Spezifikation bereits 1998 veröffentlicht wurde, haben die Browser-hersteller erst seit Kurzem den Standard vollständig in ihre Programme implemen-tiert. Als ultimativer Darstellungstest für die Einhaltung des CSS-2-Standards gilt der sogenannte Acid2-Test, bei dem ein Smiley aus Layern und speziellen CSS-Formatie-rungen zusammengesetzt und richtig positioniert werden muss. Hierzu ruft man mit dem Browser die Internetseite http://acid2.acidtests.org auf. Nur wenn das Smiley wie im Acid-Test-Referenzbild aussieht, unterstützt der Browser den Standard korrekt.

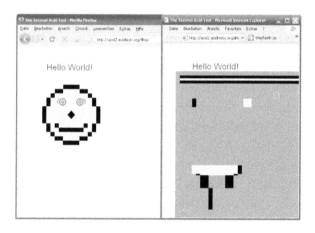

Abb. 49: Während auf der linken Seite Firefox 3 den Smiley perfekt darstellt, verunstaltet rechts der Internet Explo-rer 6 die Testgrafik mangels korrekter CSS-Unterstützung

Hier eine kleine Übersicht, seit welcher Version die Browser den Acid2-Test bestehen:

Safari: Ab Version 2.0.2 (veröffentlicht: April 2005, nutzbar in Mac OS seit Oktober 2005)
Opera: Ab Version 9.0 (veröffentlicht: März 2006)
Mozilla Firefox: Ab Version 3.0 (veröffentlicht: Juni 2008)
Google Chrome: Seit der ersten öffentlichen Version im September 2008
Microsoft Internet Explorer: Ab Version 8.0 (veröffentlicht: Ende 2008)

Aktuell befindet man sich als Webdesigner in der komfortablen Situation, dass ein va-lidierter Quelltext fast immer standardkonform vom Browser angezeigt wird. Seltene Ausnahmen bilden eigentlich nur noch die zu Beginn des Kapitels angesprochenen browserspezifischen Umsetzungen der Standards. Das gilt natürlich nur, wenn man unterstellt, dass der Betrachter der Website mindestens die o. g. Browserversion verwendet. Leider aktualisieren viele User (trotz eklatanter Sicherheitslücken) ihre

Browser häufig monate- oder jahrelang nicht, was ein Blick auf die bereits angesprochenen Browserstatistiken verdeutlicht.

Stellen Sie sich nun vor, Sie testen Ihren validierten Quellcode mit den o. g. fünf Browsern in der aktuellen und der letzten Version. In allen Browsern wird der Quelltext standardkonform interpretiert, nur beim Internet Explorer Version 7 funktioniert es nicht. Wie gehe ich am besten vor, um die schlechte oder falsche CSS-Unterstützung auszugleichen? Die einzige Lösung lautet: Recherche im Internet! Höchstwahrscheinlich gibt es keinen Darstellungsfehler eines Browsers, der nicht irgendwo im Web dokumentiert ist und für den nicht bereits ein Lösungsansatz existiert. Im Zweifel diskutieren Sie Ihr Problem mit anderen Webentwicklern in einem der zahlreichen CSS-Foren. Im Rahmen dieser Einführung ist es leider unmöglich, für alle Browserkonstellationen alle Fehler und Lösungen zu erläutern. Hierfür wäre ein eigenständiges, dickes Buch notwendig.

Die Lösungsansätze für Browser mit mangelhafter CSS-Unterstützung unterscheiden sich deutlich. Teilweise werden Fehler bei der standardkonformen Darstellung des Browsers mit absichtlichen neuen Fehlern bekämpft (sog. **CSS-Hacks**). Hacks werden häufig beim Erscheinen einer neuen Browserversion überflüssig, wenn der Browserhersteller das Fehlverhalten repariert hat, und führen dann zu weiteren Problemen, weshalb sie beim Erscheinen neuer Browserversionen stets neu getestet werden müssen. Eleganter ist der Einsatz sog. **Browserweichen**, bei dem bestimmte Browser oder Browserversionen mit einem modifizierten Stylesheet gefüttert werden. Dieses individualisierte Stylesheet enthält nur die Eigenschaften, die der Browser unproblematisch interpretieren kann. Ferner gibt es noch die **Conditional Comments.** Das sind Anweisungen, die ausschließlich vom Internet Explorer verstanden werden und alle anderen Browser im Quelltext unproblematisch ignorieren.

Kapitel 10:
Software für Webentwickler

Notwendige Software: der CSS-Editor

Zum erstellen von HTML- und CSS-Quellcode ist prinzipiell der im Betriebssystem enthaltene Texteditor (Notepad) ausreichend, wenn auch nicht empfehlenswert. Ungeeignet ist ein Texteditor vor allem deshalb, weil er keine Syntax-Hervorhebung anbietet, d. h. die HTML- und CSS-Befehle nicht farblich hervorhebt und anordnet. Durch die optische Eintönigkeit wird der Quelltext extrem schwer lesbar, unübersichtlich und damit fehleranfällig. Gute, kombinierte HTML- und CSS-Editoren bieten aber zusätzliche Funktionen, die das Arbeiten am Quelltext erheblich erleichtern. Folgende Features sind sinnvoll:

- Anzeige der Änderungen live in einem Vorschaufenster
- Vorgabe der CSS-Eigenschaften mit ihren erlaubten Werten für alle Elemente, flankiert von einer Autovervollständigung (diese Funktion ist insbesondere für Anfänger hilfreich!)
- Integrierte Validatoren
- Eingebaute HTML- / CSS-Referenz
- Projekt-Manager

Leider ist mir kein kostenloses Programm bekannt, das diese Funktionen kombiniert anbietet. Im Leserbereich habe ich deshalb eine Auswahl an kostenpflichtigen Programmen zusammengestellt. Testen Sie insbesondere den Bedienkomfort, bevor Sie sich für den Kauf eines Editors entscheiden. Anschauen sollten Sie sich nach meiner subjektiven Meinung auf jeden Fall die Software „HTMLPad", die trotz des Namens auch CSS vollständig unterstützt. HTMLPad erfüllt alle oben geforderten Funktionen, ist intuitiv zu bedienen und vom Kaufpreis angemessen.

Sinnvolle Software für Webentwickler

Zur Überprüfung und Optimierung der eigenen Quelltexte wie auch zur Analyse fremder Websites gibt es Tausende Miniprogramme und Browser-Plugins. Egal ob Messwerkzeuge, Lupen oder Farbwähler – viele dieser Programme sind tatsächlich sinnvoll und erleichtern die Arbeit erheblich. Früher musste man zu diesem Zweck unzählige Einzelprogramme installieren. Mittlerweile gibt es zwei Programme, die

(fast) alles Notwendige und Sinnvolle zur Analyse und Diagnose vereinen: „Firebug"
und „Web Developer". Beide Programme sind als Firefox-Plugins verfügbar, d. h., sie
lassen sich unkompliziert über die Add-On-Schnittstelle des Browsers integrieren.
Gerade HTML- und CSS-Einsteiger sollten sich unbedingt mit Firebug beschäftigen,
da man mit diesem Programm sehr einfach den Designaufbau fremder Websites studieren kann.

Firebug

Firebug wird uns bei folgenden drei Aufgaben unterstützen:

- HTML/CSS identifizieren,
- analysieren,
- live editieren.

Weitere Features von Firebug (insbesondere Java-Debugging) werden hier nicht besprochen, da sie nicht im thematischen Zusammenhang mit dieser CSS-Einführung
stehen.

Nach der Installation im Firefox-Browser kann Firebug über ein eigenes Käfer-Icon in
der Statusleiste oder über die F12-Taste auf- und zugeklappt werden. Im eingeblen-
deten Firebug-Fenster sind auf der linken Seite mehrere Tabs verfügbar. Für unsere
Zwecke interessant ist der Tab „HTML", der das Fenster in zwei Bereiche einteilt: links
die HTML-Grundstruktur, rechts die zugehörigen CSS-Elemente (achten Sie darauf,
dass rechts oben der Tab „Styles" aktiviert ist).

Abb. 50: Firebug in Aktion

HTML/CSS identifizieren

Öffnen Sie nun die Datei index.html aus dem To-Do 53 und aktivieren Sie Firebug
(Grundlage ist eine leicht modifizierte Version der Datei aus dem To-Do 31).

Auf der linken Seite finden Sie im unteren Bereich die HTML-Grundstruktur. Die
einzelnen Elemente können Sie durch Klick auf das Pluszeichen öffnen. Klicken Sie
auf das Pluszeichen vor *<body id="startseite">* und dann vor *<div id="wrapper">*.

Wenn Sie nun mit der Maus über einen der vier *div*-Bereiche fahren, wird dieser parallel dazu oben im Browserfenster farblich hervorgehoben. Auf diese Weise können Sie sehr einfach die Grundeinteilung in *div*-Bereiche nachvollziehen. Klicken Sie nun auf das Pluszeichen *<div id="textbereich">*. Hier können Sie beispielsweise durch Überfahren des Elements *<h2>* nachvollziehen, wo es konkret im Dokument auftaucht, oder durch weitere Klicks auf die Unterpunkte z. B. die Struktur der Listenelemente einsehen.

Das Ganze funktioniert aber auch andersherum. Klicken Sie links oben auf den Knopf „Untersuchen". Wenn Sie jetzt im oberen Browserfenster die Maus über einzelne Bereiche bewegen, werden diese oben und gleichzeitig im unteren Code-Teil farbig markiert. Die strukturelle Erschließung einer Seite wie die konkrete Zuordnung von Elementen wird damit zum Kinderspiel. Ein Klick auf das Element beendet den Untersuchmodus.

Analyse: Kaskade, Vererbung und Standardwerte nachvollziehen
Der Browser versucht anhand des Quelltextes jedem Element eine Eigenschaft und einen Wert zuzuordnen. Bei konkurrierenden oder gar nicht vorhandenen Deklarationen arbeitet der Browser bis zu drei Regeln nacheinander ab (siehe Seite 126):

1. Falls die Kaskadierungsregeln einen Wert ergeben, benutze diesen.
2. Falls nicht, benutze einen Wert nach den Vererbungsregeln.
3. Wird kein Wert vererbt, benutze einen Standardwert.

Firebug hilft uns nun, diese theoretischen Regeln an unserer Website konkret nachzuvollziehen. Klicken Sie hierzu links unten auf das Element *<p id="toller1" class="toll">Dies ist ein wichtiger Absatz.</p>* (Achtung: Wenn Sie mit der Maus *p* überfahren, erscheint der Mauszeiger als Händchen mit Zeigefinger, dort müssen Sie klicken). Kontrollieren Sie jetzt, ob auf der rechten Seite der Tab „Styles" ausgewählt ist. Direkt darunter (auf der rechten Seite) zeigt Firebug für das selektierte Element die relevanten Styles an. Das Geniale daran ist, dass die Reihenfolge **nicht der des Quelltextes entspricht, sondern das Ergebnis der durchlaufenen Kaskade darstellt**. Im Rahmen der Kaskade überschriebene Eigenschaften werden durchgestrichen. Spezifitätsprobleme, bei denen versehentlich Stilregeln überschrieben werden, lassen sich so sehr einfach aufspüren.

In der index.html des To-Do 53 wurde im Quelltext das Beispiel von Seite 130 eingefügt. Im Firebug können wir nun nachvollziehen, dass unsere errechnete Platzierung der Spezifität (siehe Tabelle Seite 130) tatsächlich korrekt ist. *p#toller1* ist an erster

Position, *p.toll* an Zweiter und *p* an Dritter.

Abb. 51: Rechts zeigt Firebug die errech- nete Spezifität an

Die Eigenschaft *margin* beim Universalselektor ist durchgestrichen, da der Universalselektor bei der Berechnung der Spezifität nicht berücksichtigt wird und deshalb die Regel für *p, ul* spezifischer ist.

Nicht berücksichtigt werden in der Standardansicht die Browser-Stylesheets. Wenn Sie diese sichtbar machen möchten, klicken Sie rechts oben auf den Menüpunkt „Einstellungen" und aktivieren Sie dort den Punkt „User-Agent-CSS anzeigen". Klicken Sie nun links auf das Element **<body id="startseite">**. Im rechten Fenster sehen Sie nun beim dritten Eintrag *body*, dass die Deklaration *display: block* aus dem Browser-Stylesheet mit dem Namen html.css übernommen wurde, *margin: 8px* wurde hingegen mit dem Wert *0* aus dem Autoren-Stylsheet mylayout.css übernommen, welches eine höhere Gewichtung hat. Sie können übrigens auch auf den Namen des jeweiligen Stylesheet klicken, es wird dann direkt im Firebug geöffnet.

Konnte der Browser beim Durchlaufen der Kaskade keine Deklaration zuordnen, prüft er als Nächstes, ob eine Deklaration vererbt wurde. Welche das konkret ist, zeigt Firebug unter der Überschrift „Geerbt von Elementname" an. Auch hier werden Regeln durchgestrichen dargestellt, wenn sie durch andere überschrieben werden. Da bei mehreren ererbten Deklarationen die gilt, die näher am Element ist, listet Firebug nähere Elemente weiter oben auf.

Klicken Sie nun wieder links auf das Element **<p id="toller1" class="toll">Dies ist ein wichtiger Absatz.</p>**. Rechts sehen Sie nun, dass die vom *div#wrapper* und *body#startseite* jeweils geerbte Eigenschaft *color* durchgestrichen. Sie werden nicht berücksichtigt, da bereits beim Durchlaufen der Kaskade die Deklaration *color: red* zugewiesen wurde. Da bei der Kaskade keine Deklarationen für *font-family, font-size* und *line-height* gefunden wurden, werden diese nun von *body#startseite* geerbt.

Konnte weder mithilfe der Kaskade noch nach den Grundsätzen der Vererbung eine Deklaration zugeordnet werden, greifen die Standardwerte gemäß der CSS-Referenz. In Firebug kann man sich diese seltenen Fälle nicht einzeln anzeigen lassen. Allerdings gibt es die Möglichkeit, sich die endgültigen Stilregeln anzeigen zu lassen, die der Browser verwendet. Diese sind das Ergebnis aus Kaskade, Vererbung, Standardwert und Default-Einstellungen des Browsers. Zur Anzeige selektieren Sie im Menüpunkt „Einstellungen" den Punkt „Berechneten Style anzeigen".

CSS/HTML Live editieren

Sowohl der HTML- als auch auf der CSS-Code kann direkt editiert werden. Klicken Sie einfach auf den entsprechenden Wert, und ändern Sie ihn in der sich öffnenden Textbox. Sie können alternativ auch die Pfeiltasten auf Ihrer Tastatur betätigen, dann erhalten Sie die möglichen Eigenschaften und Werte nacheinander angezeigt.

Um eine Deklaration vorübergehend zu deaktivieren, fahren Sie mit der Maus vor selbige und klicken auf das graue Verbotszeichen.

Möchten Sie eine neue Deklaration einfügen, klicken Sie einfach doppelt mit der Maus hinter dem Semikolon einer vorhandenen Deklaration. Es reicht aus, die Anfangsbuchstaben (oder auch gar nichts) anzugeben und dann die Pfeiltasten zu betätigen. Firefox macht Ihnen dann entsprechende Vorschläge zu den möglichen Eigenschaften und Werten. Möchten Sie hingegen eine komplett neue CSS-Regel ergänzen, klicken Sie im linken Bereich auf den Tab „CSS" und aktivieren Sie zusätzlich den Button „Bearbeiten". Zum Einfügen neuer HTML-Elemente klicken Sie erst auf den Tab „HTML", dann auf das Element *body* und aktivieren sie zusätzlich den Button „Bearbeiten".

Eine weitere Finesse von Firebug ist die Fähigkeit, die gemäß dem Box-Modell getätigten Abstände sichtbar zu machen und live zu editieren. Wenn Sie auf der rechten Seite auf den Tab „Layout" klicken, erscheint die Box, die links im HTML-Baum selektiert ist. Rechts sehen Sie die exakten Angaben in Pixeln zu *content*, *padding*, *border* und *margin*. Natürlich können Sie auch diese Angaben durch einen Klick darauf verändern. Wenn jetzt der Mauszeiger über einen Bestandteil der Box schwebt, erscheinen gleichzeitig Fadenkreuze und Lineale im Browserfenster zwecks Verdeutlichung der Abmessungen. Sie können auch den Knopf „Untersuchen" drücken und im oberen Browserfenster die Maus über einzelne Bereiche bewegen, um sich die Dimensionen der Boxen anzeigen zu lassen.

Web Developer Toolbar

Das Firefox-Plugin „Web Developer" ist nach Meinung vieler Webentwickler hinter Firebug das zweitwichtigste Werkzeug zur Analyse und Diagnose von Quelltexten. Nach der Installation der Erweiterung bindet sie sich im Browser, als zusätzliche Leiste, unterhalb der Adress- und der Lesezeichenleiste ein. Die Werkzeugleiste hat zwölf Menüpunkte, über die man die konkreten Funktionen aufrufen kann. Da die Funktionen im Web Developer recht einfach zu durchschauen sind, werden nachfolgend nur die wichtigsten Features aufgelistet, um Ihre Neugierde zu wecken:

- Verändern der Fenstergröße zwecks Simulation anderer Bildschirmauflösungen
- Deaktivieren von Stylesheets
- Einbindung anderer Stylesheets zu Testzwecken
- Grafiken können ausgeblendet werden
- IDs und Klassen werden direkt an den Elementen eingeblendet
- Lupe und Messwerkzeuge
- HTML und CSS können live im Browser editiert werden
- Links zu HTML- und CSS-Validatoren

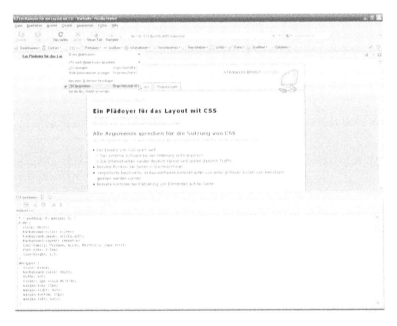

Abb. 52: Über die Menüleiste (CSS → CSS bearbeiten) kann der CSS-Quelltext live im Browser editiert werden.

Klicken Sie sich bei Gelegenheit durch die Menüpunkte und testen Sie die einzelnen Funktionen. Während beim Firebug dem Anfänger die komplexe Bedienung Schwierigkeiten bereitet, ist es beim Web Developer die Quantität der Funktionen.

View Source Chart: die rechteckigen Kästen einer Seite sichtbar machen

„View Source Chart" ist eine Erweiterung für Firefox, die die Verschachtelung von HTML-Elementen auf einer Webseite grafisch darstellt, wodurch sich die Struktur einer Seite sehr schnell erfassen lässt. Anfänger, die Probleme haben, den Sinn der grundsätzlichen Einteilung eines HTML-Dokuments in *div*-Bereiche zu verstehen, sollten mit diesem Programm unbedingt die Beispielseiten aus dem To-Do 9 und To-Do 31 analysieren. Nutzen lässt sich die Software auch zur Fehleranalyse, z. B. auf der Suche nach einem nicht geschlossenen Tag.

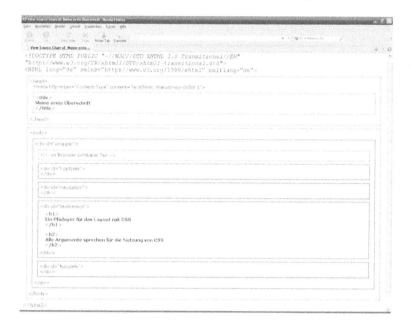

Abb. 53: Ansicht vom To-Do 2 in der Firefox-Erweiterung View Source Chart

Stichwortverzeichnis

A

Absätze (HTML-Tag) 19
Acid2-Test 137
Anker 24
Attribute 24
Auszeichnungssprache 9
Autoren-Stylesheets 127

B

Benutzer-Stylesheets 127
Betonter Text 19
Block-Elemente 18
body (HTML-Tag) 13
border. *Siehe* Box-Modell
Box-Modell 51
Browser-Stylesheets 126

C

clear 93
Collapsing Margins 57
content. *Siehe* Box-Modell
Cross-Browser-Check 135
CSS-Editor 139

D

Deklaration. *Siehe* Regel (CSS)
div-Bereiche 14
Document Object Model 125
Druck-Stylesheet 94

E

Einbinden (CSS in HTML) 39

F

Farbangaben
  Englischer Farbname 43
  RGB-Werte 44
Farbverläufe 69
Faux Columns 117
Firebug 140
float 90, 115
font-family (CSS-Eigenschaft) 45
font-size (CSS-Eigenschaft) 47

G

Grafiken einbinden (HTML) 26

H

Hervorgehobener Text 19
Hintergrundbilder 66
HTML
  Elemente 11
  Grundgerüst 11
  Tags 11
Hyperlinks 23

I

ID 25, 79
important-Regel 128
Inline-Elemente 18

K

Kaskadierung 126
Kommentare
  CSS 40
  HTML 12

L

letter-spacing 66
line-height (CSS-Eigenschaft) 48
Listen 20

M

margin. *Siehe* Box-Modell

N

Navigation
 Aktuelle Position hervorheben 78
 Navigationselemente 25

P

padding. *Siehe* Box-Modell
position (CSS-Eigenschaft) 81
Pseudo-Klasse 38, 70

R

Regel (CSS) 35

S

Selektor. *Siehe* Regel (CSS)
Sonderzeichen 31
span (HTML-Tag) 17
Spezifität 128
Standardwert 133

T

Tabellen
 Anlegen (HTML) 28
 Gestalten 99
text-align 65
text-decoration 71
title (HTML-Tag) 13

U

Überschriften (HTML-Element) 18

V

Validierung
 CSS 124
 HTML 31
Vererbungsregeln 131
View Source Chart 144
Virtuelle Maschinen 135

W

W3C 31
Web Developer Toolbar 144
Wrapper 16

Z

z-index 123
Zeilenumbrüche 19